新潮文庫

眼の気流

松本清張著

JN263411

目次

眼の気流

眼の気流

運転手の場合

「恵那《えな》タクシー」の運転手末永庄一は、配車係から峡西館に行くように云《い》いつけられた。三月に入った朝である。

「お客さんは上諏訪《かみすわ》までだ」

と配車係は云った。

岐阜県恵那市から長野県上諏訪までは大体百四十キロくらいある。列車のほうがずっと楽だが、ときたま、こういう車の客がないでもない。しかし、雪どけの中仙道の悪路を走るのは決して快適ではない。

恵那から上諏訪の温泉にドライブしようというのだから、どうせ結構な身分の客に違いない。メーターも一万円近く出るだろう。汽車で行けば一等でも八百円くらいで済む。

「おーい、チェーンを用意して行けや」

配車係は注意した。

（今から行くと、ここへ戻ってくるのは夜の十時ぐらいになるな）

末永は車のハンドルを握ってからそう思った。この中古車の速力を考えて、大体の計算を片道五時間とみた。

「ご苦労だな。まあ、今日は少し働いて、明日は明け番だから、ゆっくりと釣りにでも行けや」

と配車係はうしろから声をかけた。末永庄一は二十五歳の独身で、釣り以外にはさして趣味がない。

恵那市は中央線大井駅だが、むしろ名古屋のほうに近い。汽車だと名古屋まで一時間半だが、塩尻《しおじり》までは二時間半かかる。

大井温泉は、この駅から北へ約二キロのところにある鉱泉だ。近ごろ、恵那峡と組んで宣伝されている。峡西館は大井温泉でいっとう大きな旅館だった。

末永は町角のスタンドでガソリンを満タンにし、山沿いの路《みち》を走って峡西館の玄関に着いた。彼は女中に到着を知らせると、横の地面にしゃがんで煙草《たばこ》を吸っていた。

玄関の暗い奥から華やかな衣裳《いしょう》が浮き出るように現われて来た。女は、毛の深い、軽そうな白のモヘアのコートを手に持ち、男と伴《つ》れ立って女中たちに見送られたが、その男は瘦《や》せぎすの、背の高い青年だった。

末永は女中の手から受取った二個のスーツケースをうしろのトランクに入れた。名札は一つだけ付いていて、「宇津美《うつみ》」としてある。男の姓か、女の名前か分らなかった。

荷物を仕舞って前に戻ってみると、女はまだ外に出て立って、車をじろじろ眺めていた。顔の大きい、ちょっと肉感的な感じだが、化粧は濃いものだった。そのきゅっと鋭く描いた眉《まゆ》を不快そうにひそめている。

「運転手さん、こんな車しかないの？」と、彼女は訊《き》いた。

「は？」

「もっと大型のないかしら？」

女は顔に不満をむき出していた。先に車内に入った男は黙って煙草を吸っていたが、その蒼《あお》い烟《けむり》が開いたドアから外に流れている。見送りの女中たちはうしろにならんで手持無沙汰《ぶさた》に立っていた。

「すみません」

運転手は素直に頭を下げた。

「わたしのほうの会社には大型がありませんので」

「そう……どこかほかにないかしら？」

と女は末永と女中たちの顔とを半々に見た。

「この辺は田舎ですから、大型はございません」

末永が愛想《あいそ》笑いして云うと、

「しようがないわね。これで何時間ぐらい乗りつづけるの？」

と女は不機嫌そうに訊いた。

「大体、五時間半か六時間ぐらいはかかると思います。途中の、峠越えにはまだ雪が残っているので、思うように走れません」

「疲れるわね」

女がまだ未練そうに立っているのを、車の中から男の声が呼んだ。

「おい、しようがないよ。我慢しろよ」

女もそれでやっと諦《あきら》めたらしい。不承不承に車の中に背中を屈《かが》めて入った。あでやかな衣裳は男の横に翼をたたんだ。

末永はドアを外から閉めて前部を回り、運転台に腰を落着けた。バックミラーをちょいと直して、ときどきうしろの客の様子がのぞけるようにした。

女中たちのおじぎがうしろに流れた。バックミラーに映った二人の姿はぴったりと肩を寄せ合っている。

「木曾《きそ》福島に着くのは、何時ごろになるかね?」

男は訊いてきた。

「そうですね」末永は時計を見て、「大体、一時半ごろと思いますが」

「じゃ、そこに着いたら、軽い食事をしたいから、適当な場所に停めてくれよ」

「分りました」

末永はどこに着けたらいいか考えた。福島までは始終行くから、土地の様子は分っている。しかし、この客の気に入るような食事の場所は、すぐに頭に泛《うか》んでこなかった。贅沢《ぜいたく》な連中らしいのである。

一旦《いったん》、恵那の町に戻って、木曾街道を北に向って走った。この道は、材木を積んだトラックの往来が激しい。

道は中央線の線路に沿っているが、ときおり、列車がタクシーを追い越して過ぎた。その列車の後尾が前方の山裾《やますそ》を曲って消えるのを見ると、この二人の客は、なぜ、あの汽車を利用しないのだろうかと思った。もっとも、汽車だと、いま座席でしているような厚かましいことは彼らに出来ない。女は男の手をつかんで、その肩に自分の身体を投げかけていた。女は、ときどき、男の耳を嚙《か》んでいた。この様子だと、少し年上と見える女のほうが男に夢中のようだった。

中津川を過ぎて、坂下、三留野《みどの》、大桑などの駅を通過した。木曾川がすぐ左の崖下《がけした》を流れていた。川は、大小の岩に寒い泡を立てていた。

座席の男女は、次第に大胆になってゆくようだった。独身の末永は、ときどきバックミラーを気にした。一度は、女が男の首に手を捲《ま》いて顔を引き寄せ、キッスをしていた。どう見ても女のほうが積極的だった。男は小さな声で、止《よ》せ、とか、擽《くすぐ》ったい、とか云っている。男の言葉は乱暴だったが、近ごろの青年は、わざとヤクザめいた口を利《き》くようである。

女は口にチョコレートか何かを頬張りながら外を見ては、

「どこまで行っても同じような景色なのね」

と退屈そうに云った。

一つの山峡《やまかい》を回ると、また次の狭間《はざま》が迫ってくる。急な山の斜面には焦茶色《こげちゃいろ》の杉木立が植林された行儀正しい縞《しま》になって裾に流れている。頂上は、雪が白い斑《まだら》となっていた。

もうすぐ有名な寝覚めの床だが、末永はそれを教える気にもなれなかった。客によっては名所案内の説明を喜ぶ者がいる。三留野に来たとき、実はこの奥に藤村の「夜明け前」で有名な馬籠《まごめ》の宿《しゅく》があるのだが、二人は頬を擦《す》り合せている最中だったので、以来、彼は何も云わないことに決めてしまった。

福島の町に入って、末永は、ようやく考えついた茶店の前に車を着けた。レストランまがいの店で、突き当りに木曾川に架かった鉄橋が見えていた。

「あら、こんなところなの？」

女は窓から店の表をのぞいて降りようともしない。

「もっと気の利いた所はないの？」

と末永の責任のように訊いた。

「はあ、ここではこういう店しかありません」

「しようがないわね。ねえ、あんた、上諏訪まで辛抱しましょうよ」

と、これは男に向って云った。

末永はやけにアクセルを踏んづけた。

「上諏訪までかい。腹が減るな」

と男は呟《つぶや》いていた。バックミラーには、その男の眼だけ見えたり、顔が横に流れたりするが、徹《とお》った鼻筋を持ち、ちょっとした二枚目だった。この調子だと、昨夜の大井温泉の宿では大へんな騒ぎだっただろうと、末永は妄想を働かした。

「辛抱しなさいよ。宿に着いたら、うんとご馳走《ちそう》を頼んで上げるわ」

二人の仲は恋愛というよりも、女のほうが年下の男を可愛《かわい》がっているふうに見えた。男のオーバーとネクタイの新しいのも、どうやら女が買って与えたように思われる。

道は上り坂にかかった。この辺から道端に残雪が見られ、道路がぬかるみになってきた。その道もジグザグに上るにつれて次第に凍ってくる。

「済みません、ちょっと待って下さい」

末永は車を停めた。

「いま、チェーンを捲きますから」

「このくらいでチェーンが要るのかい?」

男が云った。

「ええ、スリップしますから。事故でも起ると大へんですからね」

客は黙った。

末永は後部のトランクからチェーンを取り出したが、そのときまたスーツケースの「宇津美」の名札が眼に触れた。一体、どっちの荷物だろう。

末永はしゃがみこんでタイヤに鎖を捲きはじめたが、こうしている間、座席の二人が何をはじめているか分ったものではなかった。彼の眼があるときでも、あの程度だったのだ。材木トラックが何台も追い越して、彼の気を苛々《いらいら》させた。

「まだなの？」

　窓ガラスを下ろして、女が首を出した。

「はあ、もうすぐです」

　こうなったら自棄糞《やけくそ》で、わざとゆっくりとチェーンを捲いた。普段より手間をかけた。

　お待ちどおさま、と云って末永は運転台に戻ったが、男は女の腋《わき》の下に手を差入れて、女の顔を自分の顎《あご》の下に引き寄せていた。運転手に見られてもおどろく連中ではなかった。

　鳥居峠は、藪原《やぶはら》から奈良井《ならい》までの間で、鉄道はこの下をトンネルとなっている。道は次第に雪だけになってきた。両側に迫った山の斜面も厚い雪壁となっていた。

「運転手さん」女がうしろから云った。「なんだか寒いわ。これ、ヒーター入ってるの？」

「はあ、入っています」

「なんだかちっとも効かないわね」

「車が古いからな」

　男が代って応《こた》えた。

末永は癪《しやく》に障《さわ》ったが、客と喧嘩《けんか》も出来ないので黙っていた。それに遠出となると、たいてい料金以外にチップもくれるはずだから、それも何となく予定に入れていた。

鳥居峠は海抜一四八〇メートルで、日本海と太平洋との中央になっていることで有名だが、末永は説明しなかった。ようやく頂上近くになって長い隧道《ずいどう》に入った。暗い隧道を抜けると、また眩しい雪道だった。冬期は全く自動車が通れないが、今では真中だけがようやく除雪されてある。

「運転手君」

男が話しかけてきた。

「はあ」

末永はジグザグ道にハンドルを切りながら応える。下り道はスリップしやすいから要心しなければならない。

「君、こんな所にいて面白いことがあるかい?」

男は、女と抱き合うことにも飽いたのか、ようやく普通並みの口を利いてくれた。

「そうですね、べつにありません」

末永は答えた。

「そいじゃつまらないだろうな」

男は妙に同情した。

「そうですね、休みの日に川へ釣りに行くぐらいのものですよ」

「映画なんか見ないの？」

女が口を出した。

「映画館はありますが、行ってもつまりませんからね。一カ月に一度ぐらい、名古屋へ遊びにゆく程度です」

「名古屋って大きい街なの？」

「そうですね、あの辺では一応の大都会ですね」

「だって東京の五分の一くらいでしょ？」

これは男に訊いた質問だ。男も正確には答えかねたとみえ、返辞をためらった。

「お客さん方は東京の方ですか？」

「ああ、そうだよ」

末永は下り坂をゆっくりと降りてゆく。雪は陽当りの悪い場所に溜《たま》り、陽の射《さ》すところは泥水となっている。車は水溜りに何度か突っ込んだため、フロントガラスがスプレーを吹きかけたように汚れた。

「君、東京へ出たことがあるかい？」

男は、また訊いた。

「ええ、二、三度ぐらいはあります」

「東京は車のラッシュが物凄《ものすご》いからな」

だから田舎の運転手にはとうてい勤まらないだろう、という口吻が露骨に籠《こも》っている。

「話には聞いていますがね」

末永は軽く応えたが、多少、胸が躍らないではなかった。実は一カ月前に東京方面のタクシー業者がやって来て、東京へ出て働かないかと誘われたのである。東京もタクシー運転手の払底《ふってい》で、しきりと地方の運転手を狩り集めている。末永のところに来た勧誘員の話は、支度金三万円で、固定給、歩合、厚生施設などうまいことずくめの条件だった。

末永は、若いうちに一度は東京に出て働くのも悪くはないと思って、実は、一昨日、こっそり仮契約を済ませたばかりだった。今の会社を円満に退社するまで、あと十日ばかりはここに残っているつもりであった。

しかし、末永には一抹《いちまつ》の不安がある。東京の地理に不案内なことと、物価高の東京で果して生活が出来るかどうかという心配だった。地理が分らなくてはタクシー運転手の資格はない。勧誘員にたしかめると、なに、その点は大丈夫だ、先輩が教えるし、客も教えてくれるからすぐに馴《な》れるよ、と気安げな返辞であった。

たしかに田舎のタクシーよりは条件がいい。

そこで末永は、東京から来たというこの客に、交通事情やタクシー会社の状態をよほど訊こうかと思ったが、先ほどから腹に据えかねているので、口に出さなかった。向うは田舎運転手だと思ってすっかり見くびっているらしい。

峠を下ると、奈良井の宿である。石を置いた檜皮葺《ひわだぶ》きの屋根にも雪がまだらに残っている。恵那《えな》市を出て、すでに三時間以上経《た》っていた。陽はかなり傾いていた。

雪道の運転は骨が折れる。それも解けたり凍ったりしているので始末が悪い。車は泥を浴びているので、帰ってからの掃除が思いやられた。

奈良井をはずれると、平沢、贄川《にえかわ》、日出塩《ひでしお》となって、ようやく平地に下りてきた。えらく客席が静かになったと思ってバックミラーをのぞくと、二人とも疲れて睡《ねむ》りこけていた。その太平楽さがまた末永の胸糞《むなくそ》を悪くした。こちらは百二十キロの雪道を苦労して来ているのだ。

洗馬《せば》を通り過ぎて塩尻《しおじり》峠にかかる。ここはなだらかな丘陵で、道もいたってよい。雪も林の中だけしかなかった。頂上まで来ると、昏《く》れなずむ諏訪《すわ》湖の蒼い水が一どきに眼下に展《ひろ》がった。

うっかり窪《くぼ》みに前輪が突込んだはずみで車が大きく揺れた。それで眼を醒《さ》ました女がきょろきょろ左右を見ていた。

「あら、ここ、どこ?」

と口を開けている。

「塩尻峠を越えた所ですよ。もうすぐ下諏訪です」

灯の入った岡谷《おかや》の街が視野にせり上ってきていた。

「下諏訪から上諏訪まではどれくらいかかるの?」

「時間ですか。約十五分ですね」

女は何を思いついたか、急に男の耳に口をつけて囁《ささや》いた。眼をこすっている男は、女の低い声にしきりとうなずいていた。何を云《い》っているのだろう。

「運転手さん」と女が云った。「下諏訪で降ろしてよ」

「下諏訪ですか。上諏訪じゃなかったんですか?」

末永は反問した。

「いいえ、ちょっと都合が出来たの。下諏訪でいいわ」

「下諏訪のどの旅館に着けますか?」

「旅館じゃないわ。ハイヤー営業所があるでしょ。そこに着けてちょうだい」

運転手は、客の注文に云いなりになるほかはない。しかし、末永は、女がどうして予定を変えて下諏訪のハイヤー営業所に彼の車を着けさせたか見当がついていた。

「ちょっと待ってくれ」

男が先に降りて営業所の中に一人で入って行った。そこの事務員と二、三問答していたが、やがて女の待っている車に引き返してきた。

「去年の暮におろしたのがあるそうだよ」

彼はにこにこして女に告げた。

「運転手君、ご苦労だったな。いくらだい？」

メーターをのぞくと、九千二百円出ている。女がきれいな一万円を一枚出した。あいにくと釣銭の用意がない。

「そこの営業所で替えてもらってくれよ」

と男は横から云った。気前のいい客だったら、残りの八百円はチップとしてくれるはずだ。

営業所の窓口に行って金をくずしてもらっているうちに、横の車庫からは外車の大型が匍《は》い出していた。新車で長い胴体がぴかぴかしていた。

末永が八百円の釣銭を渡すと、女は掌の上で百円玉を眼で数えていたが、そのままざらざらと財布の中に悉《ことごと》く入れてしまった。

「荷物をあの車に移し替えてくれよ」

男は顎で緑色に光っている車体を指した。あたりは暮れて車体に映っているのは営業所の外灯だった。

末永はトランクを開けて、二個のスーツケースを両手に持った。またしても名札の「宇津美」が眼につく。新車の運転手が末永の手から荷物を受取った。

「運転手さん、ご苦労だったわね」

女は毛の深いモヘアのコートに首を埋めて気取った調子で云った。対手《あいて》を犒《ねぎら》うのではなく、誇らしげな口吻だった。遂《つい》に一銭のチップを出すのではなかった。

男女客を乗せ替えた外車は、湖畔の道を上諏訪方面へ向って走り去った。幅の広い、どっしりとした車体だ。肩を寄せ合った男女の影がちらりとうしろ窓に映った。湖畔には灯が点々としてともり、美しい化粧砂のように輝いている。外車のヘッドライトは一筋の街道をゆっくりと匍っていた。

末永は、汚れた自分の車を情けなさそうに眺めているうち、むかむかしてきた。

あの客は、末永の車だと上諏訪の旅館の玄関に横着けできなかったのだ。車は小さいし、百二十キロの雪道を悪戦苦闘して走って泥だらけになっている。これでは恥ずかしかったのだ。旅館の女中にはったりが利《き》かない。末永を捨てて外車に乗り換えたのは、そういう見栄《みえ》からだ。客は、末永の気持など塵《ちり》ほどにも考えていない。十円のチップもないのはひどすぎる。

両人は車の中で持参の食べものを頰張っていた。普通の人間だったら、運転手さん、一つ食べたらどうですか、と云って、愛嬌《あいきよう》にも分けてくれるところだ。食べ物などはどうでもいいが、末永の欲しいのは客の温かい気持だった。恵那を出発してここに着くまでの五時間半、途中で休憩をさせるでもない。一度、小便がしたくて車を停めたときなど、女はいかにも不潔だというように顔をしかめた。

これも運転手商売のしがなさだと思えばそれまでだが、人間味のない客二人に無性に腹が立ってきた。女は三十を二つか三つは越しているように思える。男は二十七、八だ。むろん、夫婦ではない。あの様子だと、女は東京の水商売でもやっているマダムかもしれない。そういえば、男も女もどこか崩れたところがあった。男は女に飼われているという感じだった。女の口の利き方からして、男は使われている雇い人、たとえばバーのバーテンといったところではあるまいか。末永は、あの二人の客に東京人の非人情さをのぞいたような気だった。彼らは昨夜が大井で、今夜が上諏訪だ。温泉を転々として遊び歩いているところなど、荒廃した生活ぶりが分る。

これから泥だらけの車をまた運転して、百二十キロの雪道を転がさねばならぬと思うと、末永は急に空腹を覚えてきた。どこかで温かいラーメンでも食べたいが、これも完全に自腹だった。彼は侘《わび》しい思いで下諏訪の町を戻りながら今ごろは豪華な旅館の玄関に傲慢《ごうまん》な様子で降り立っているであろう男女を考えていた。


末永庄一は東京へ出た。

新しく勤めたタクシー会社は五反田の近くだった。彼は洗足池《せんぞくいけ》のほうに小さなアパートを借りた。

近ごろは、東京のタクシー会社も運転手払底で四苦八苦し、地方で働いている運転手を狩り集めているが、なかにはそれでも足りなくて乙免《おつめん》の運転手をこっそり採用しているのもあるらしい。

末永は田舎出だから、一昼夜働いて翌日を休むという勤務はそれほどこたえなかったが、一ばん困ったのは、心配した通り東京の地理に不案内なことだ。休みの日には絶えず区分地図を見て、頭の中に暗記するようにした。

次に弱ったのが車の混雑である。これは予想以上だった。昼間、都心に出ようものなら、ニッチもサッチもゆかなくなる。それで昼間はなるべく都心を敬遠し、山の手を走ることにした。客筋は下町よりも山の手が断然いい。ほとんど空車で走ることはないが、そのぶん、車の混雑で能率が上らない。

二カ月ぐらい経つと、ようやく大体の幹線に見当がつくようになった。むろん、東京全部というわけではなく、彼が主に走っている山の手方面に限られていた。中野区、新宿区、杉並区、豊島《としま》区といった所が彼の行動半径内だ。この程度の守備範囲だと大体間に合った。よく分らない小さな路《みち》は、客のほうから教えてくれる。

タクシー会社の待遇はまあまあだった。彼はあまり酒を呑《の》むではなく、また競輪や競馬に熱中するでもなかった。せいぜい、休みの日には釣堀に出かけるくらいだった。

釣りは郷里《くに》にいるときから好きで、木曾《きそ》川はもとより、木曾山中の渓流を渉猟した。危険な沢登りもしたし、野宿で山女《やまめ》を釣り歩いた。

末永は、非番の日は昼過ぎまでアパートでぐっすりと睡り、起きると釣堀に出かける。東京の釣り場だと、海では大森沖まで舟を傭《やと》って出かけなければならないし、川だと青梅《おうめ》、氷川《ひかわ》あたりとなる。どちらにしても、費用と時間の点で彼の手に負えなかった。

しかし、釣堀も結構金がかかる。一時間八十円だから、四時間いると三百二十円だ。

ところが、これは最低料金の「雑」と称するほうで、ほとんどが金魚であって、鮒《ふな》と鯉《こい》は少ししかいない。鮒専門、鯉専門のほうになると、半日（四時間）で五百円もかかる。まあ、五百円かかってもよく釣れさえすれば、一貫目いくらで買い取ってくれるから損はないのだが、これが容易ではなかった。川や沢に馴れている彼にとって釣堀はいかにもセチ辛かった。餌《えさ》に馴れている魚は狡《ずる》くて容易に喰いつかない。それでも、ほかに娯楽のない彼は釣堀に行くより仕方がなかった。そういう点では、末永庄一は堅実なほうだった。

濁った釣堀の水につくねんと糸を垂れていると、清冽《せいれつ》な田舎の川が恋しくなってくる。こんなせせこましい場所ではなく、思い出はアルプスの連山に囲まれた広大無辺な天地であった。

末永は、二年も辛抱したら郷里に帰ろうと思っている。どうも東京の水は性に合いそうになかった。三万円の支度金が、彼をタクシー会社に一年間しばりつけていた。故郷にいると、タクシー利用の客もほとんど知った人間ばかりだから、心が通い合っていた。しかし、東京ではどこに行っても見ず知らずの他人ばかりだ。若い者を乗せておどかされたこともあるし、酔っ払いに手古摺《てこず》ったこともある。つんと澄ましている客、無理を云う客、みんな末永とは縁もゆかりもない冷たい人間ばかりだった。

夏の或《あ》る晩だった。

戸越《とごし》の近所を流していると、彼は男女づれの客に呼び止められた。女は白っぽい着物を着、男はうすいグレイの洋服を着ていた。

男が先に車の中に入って来たが、頭が半分白かった。つづいて三十過ぎの女が乗った。

「運転手さん、渋谷《しぶや》までやって下さいな」

女は注文した。

「へい」

末永は、第二京浜国道を五反田《ごたんだ》に出て目黒方面に走った。そのうち、末永は、うしろの座席に坐《すわ》っている女客にどうも見憶《みおぼ》えがあるような気がしてきた。

末永は車を運転しながら何度もバックミラーを見て、女客の顔を確かめるようにした。

ルームライトは消してあるが、両側の賑《にぎ》やかな商店街の灯は客の顔を絶えず照らしている。それに向うから来る車のヘッドライトがまるで撮影の照明のように正面から当るので、人相を確かめるのに不都合はなかった。

——あのときの女だ。間違いはない。「恵那タクシー」に勤めていて、それも東京の働き口が決ってこっちへ出てくる十日ぐらい前だった。大井温泉から上諏訪《かみすわ》までの約束で乗せた男女連れのひとりなのだ。髪のかたちといい、いまも伴《つ》れに向って頻《しき》りと何か云っている横顔といい、着物こそ季節で変ってはいるが、まさにあのときの女であった。

広い東京で因縁の女を乗せたというのは奇蹟《きせき》に近い偶然かも知れない。

むろん、女客はあのとき中仙道を五時間半も乗ったタクシーの運転手の顔を記憶していない。正面から顔を合わせたところで、こちらから名乗らない限り毛頭気付く話ではない。大体タクシーの運転手などというのは、客が人間視していない。郵便配達人などと同じように職業の類型化である。

あのときはこの客の見栄で下諏訪から外車のハイヤーに乗り換えられたものだ。チップを一文もくれなかったことも思い出されるし、その非人間性に怒った記憶が戻ってきた。

ところで、今度は女の伴れが違っている。あのときは、この女より若いハンサムな男だった。今、彼女の横にいるのは初老の紳士で、髪も灯を受けて白く光っている。皺《しわ》が深く、いかつい感じの顔だ。薄い眉《まゆ》、くぼんだ眼、太い鼻、横に広い口もと。——多少突き出たようなその顎《あご》の下から咽喉《のど》にかけて皮膚がたるんでいた。

しかし、その男は落着いてゆったりとしていた。女のほうが多少うきうきした調子でしきりと話しかけている。話し声もあのときとそっくりであった。ただ違うのは、若い男と一しょだったときのような野卑な感じはなかった。女の話は切れぎれに耳に入ってくるが、それも、誰とかさんは今どうしているといったようなありふれた話題のようだった。

夫婦だな、と末永は思った。年齢が違うので、この男の後妻のようである。前には、女が水商売でもしていて、そこのマダムかと思っていたが、今でも多少その感じはある。だが、女の態度は、夫婦でないと感じられない歳月を経た淡泊な愛情といったものがみえていた。この人たちが夫婦だったら――と末永は思った。これは大へんな話だ。この奥さんには隠し男がいる。これは彼自身が証拠を目《ま》のあたりに見たことだし、疑いようはなかった。

末永は胸が騒いできた。他人事《ひとごと》だが、いま亭主に向って微笑を浮べながら、しゃあしゃあとしてしゃべっている女が小面《こづら》憎い。それにあのときの冷淡さを思うと、いまだに腹が立つ。何も知らない亭主はおっとりと構えて満足そうに女の話にうなずいている。豊かな生活をしているらしいことは、余裕のある態度と、服装《みなり》の立派さと、貫《かん》禄《ろく》があることでも分る。どこかの会社の社長か重役かもしれない。戸越から乗せたので、あの辺に住宅があるのであろう。

末永はバックミラーを度々のぞいて両人を観察したので、渋谷につくまで、つい速度が落ち、何度も後続車からクラクションを鳴らされた。

車が着いてからドアを開けてやって、奥さん、先日はどうも、と云《い》ってやったらどんなに女は愕《おど》くことであろう、と末永はひそかに思った。あのときの仕返しだ。だが、この善良そうな初老の夫の前ではちょっと気の毒で実行ができない。もし、夫だけが途中で降りたら、そのときは女をおどかしてやりたかった。

車は道玄坂を下って渋谷の賑やかな商店街に入った。

「君」と声をかけたのは男だった。「そこでいいよ」

道が駅に向う方と、大映通りと三つに岐《わか》れている角だった。

「じゃあ、行ってくる」

紳士は妻に——多分妻であろう、その女にやさしく云うと、ゆったりと地面に降りた。

「行っていらっしゃい。あんまり遅くならないうちにお帰りなさいね」

「ああ」

女は降りなかった！

末永は、女が降りないのを見て固唾《かたず》を呑んだ。降りたばかりの男は、舗道の人群れの中に後姿を見せている。やや猫背の低い男だ。肥《ふと》っているせいかもしれない。女は窓に顔を寄せて振返った男に小さく手を振っていた。いい気なものだった。

「運転手さん」

と女は云った。

「世田谷《せたがや》のほうに回ってちょうだいな」

女は、彼が恵那《えな》から下諏訪まで走らせたタクシーの同一運転手とはまだ気づいていない。まさか岐阜県恵那の運転手が東京に来ているとは想像もしていないのだ。末永は、何となく腹の中で舌を出したい気持で車の方向を変えた。

道玄坂の上へ出て、三軒茶屋に向けて下ったが、世田谷となると、末永の一ばん苦手とするところだった。これほど道の分らない所はない。曲りくねった田舎道にそのまま住宅街が出来た感じだ。近道かと思って見当をつけて走ると、また同じ所に戻って来たり、行き止りになったり、またとんでもない方角へ逸《そ》れたりする。だから世田谷方面だと末永はなるべく敬遠していた。

「世田谷はどちらですか?」

彼は女客には気づかれないとは分っても、つくり声を出した。

「世田谷二丁目だわ。小学校があるでしょ？」

「よく分りませんよ。お客さん、知ってらっしゃるんなら云って下さい」

「ええ、いいわ」

早速、三軒茶屋の三叉《さんさ》から右の方角へ指示された。

それから道は右に入って、左に向う。そのたびに座席の女はいちいち指図した。

「運転手さんは、この辺は馴《な》れないの？」

と女は末永の無知に呆《あき》れたように訊《き》いた。

「はあ。なんだか、この辺はややこしくて」

「どの運転手さんもそう云うわね。でも、あんたはちょっとひどいわ。地方から来たばかりの人のようだわ」

末永は対手《あいて》に気づかれそうな気がしたが、それきり女は何も云わないで、相変らず曲り道に来るたびに道を教えた。

「ここでいいわ」

女が命じたのは狭い通りの古い住宅地だった。

女は座席からメーターの数字をのぞき、料金を支払って降りた。その歩き方といい、もう間違いはなかった。末永は日報をつける振りをして、女がどっちへ行くか窺《うかが》っていた。

末永は、実はここに来るまで、奥さん、先日はどうも、と何度おどかしたかったかしれないが、まだこの先この女の芝居がつづくような気がして、わが口を抑えるように我慢していたのだ。

女は横手の小さな路地を入っている。疎《まば》らにならんだ外灯が彼女の背中を点滅した。この奥に何があるのだろうか。見たところ、あまり上品な町並みとは思えない。末永はその奥にこの前恵那から乗せた若い男の巣があるような気がした。

しかし、ぼんやりとここに駐車してもいられないので、彼は車を動かした。ちょっと行くと、右手に長い塀があって、校門が見える。なるほど、女の云う小学校とはこのことかと思った。

末永は四つ角まで来て、車をバックさせた。前にも世田谷の迷路には懲《こ》りているので、不案内なこの道を真直《まつす》ぐ行ってもどこに出るのやら見当もつかない。そのための引返しでもあったが、先ほど女の降りた場所まで戻って来ると、気が変った。彼は車をその辺に停め、ライトを消して降りた。一度、その路地の奥を探検してみたかったのである。女の姿はないかもしれないが、彼女が入ったと思われるアパートがあるかもしれない。彼は何となく男の住んでいる所がアパートだと決めていた。

末永は、それから一週間というものは、戸越方面を流すと、その辺を気をつける眼になった。この前の女が、その辺に姿を見せそうな気がしてならなかった。どうもその付近にあの夫婦の住居があるようだ。

ところで、例の若い男のほうの巣は、あの晩に末永は突き止めている。あの路地を百メートルも行くと、二階建の鉄筋造りのアパートがあった。低い、白い塀を回した表門には「みどり荘」と出ていた。女の姿こそ見えなかったが、どうもこのアパートが臭いと思って前をうろうろした。まだそれほど遅い時間ではなかったし、初夏のことでもあり、どの窓にも灯がついている。なかには窓を開けている部屋もあった。

末永はぶらぶらしながら窓を見上げたが、人影はちらちら映っていても、どれがそうなのか判じかねた。それに、いつまでもそこでぐずぐずしているわけにもいかない。商売ものの車が道路に抛《ほう》りっ放しにしてある。近ごろは主に夜を稼いでいるので、ノルマの達成のためにも大事なこの時間を無駄にするわけにはいかなかった。

末永が考えているのは、あのとき車のトランクの中に入れたスーツケースの名札だった。たしか「宇津美《うつみ》」と書いてあった。女の名前か男の姓か判《わか》らなかったが、これがいま一つの手がかりになった。

彼はそのとき、「みどり荘」の表から出て来た若い娘をつかまえた。

「宇津美さんですか」

娘はためらいもせず末永の問いにうなずいた。

「宇津美さんなら八号室ですよ」

末永は胸が躍った。

「二十七、八ぐらいの男の人ですが……」

「ええ、そうよ」と娘は末永の服装を見て訊いた。「あんた、タクシーの料金でも踏み倒されたの?」

「いいえ、そうじゃないんですが、その人、何か職業に就いていますか?」

「さあ、知らないわ。なんでも芸能プロの事務所に勤めている人と聞いたんだけれど」

「芸能プロですか」

そう聞くと、あのときの男の風采《ふうさい》にぴたりのような気がした。

「宇津美さんには奥さんはいませんか?」

「さあ、まだ独り者のようだわ。でも、女の人は始終来てるみたいだわね」

「それですよ」

と彼は思わず前に一歩出た。

「その女の人は、三十二、三くらいの……こう、ちょっと色気のある、たとえばバーのマダムといったような、そんな感じの人ではないですか？」

「ええ、そうよ……何かあったの？」

娘の眼が光ってきたので、あまり深追いは危険だと思い、彼は適当に誤魔化して車にもどった。

そんなことがあって以来、末永はその女のほうの住んでいると思われる戸越を通るたびに、眼が自然と通行人に向うのだった。

若い男のほうは、芸能プロの事務所に出入りしているというだけで正体は分らないが、もしかすると、下積みの俳優かもしれないし、楽団のドラム叩《たた》きかトランペット吹きかもしれない。あのマダムはそういうのを可愛《かわい》がっている有閑夫人かもしれないのだ。またそう想像したほうが百二十キロの中仙道を走ったときの両人のイメージにぴったりする。

出来ることなら、今度は旦那《だんな》のほうを見つけたかった。それを見つけてどうするという気はないが、なんだかそっちのほうも確かめておかないと、彼の想像的な構成が半分欠けているような落着かなさをおぼえる。「宇津美」というのがあの若い男の姓と決った今、今度は女の姓、つまり、夫婦ならあの五十過ぎの初老の紳士の姓を確かめてみたくなる。だが、こんな頼りない手がかりでその辺の煙草屋《たばこ》に訊くわけにもいかないのだ。彼はもう一度偶然をたのむほかはなかった。

ところが、彼はその神秘的な偶然に恵まれた。尤《もつと》も、これはまるきり偶然だけとも思えない。同じ世田谷を走っているのだから、いくぶんの必然性はあるわけだ。世の諺《ことわざ》に、二度あることは三度あるともいう。末永が三軒茶屋の通りを走っているときだった。やはり夜だったが、電車通りに立って手を挙げる客があったので、停めてみると、なんと例の若い男ではないか。しかも、横にはあの女がちゃんと付いているのだ。今度は寄り添うというかたちではなく、女のほうがいくぶん人目を避けたように間隔をおいてうしろに離れていた。末永は胸がどきどきしてきた。

「おい、目黒まで行ってくれよ。駅でいいんだ」

ぞんざいなその口吻にも変りはない。この前は新しい濃紺の背広だったが、今日はうす物の赤いスポーツシャツに白のズボンを穿《は》いていた。近ごろの東京の若い者は赤いものばかり着て、とんと女と変らない。

二人は、今度も末永とは気がつかない。殊《こと》に女のほうは、この前の晩、男のアパートに自分を運んだタクシーの運転手が今、眼の前でハンドルを握っているとは、全く知らないようである。まさか木曾路《きそじ》以来同じ運転手の車に三度とも乗り合せようとは思っていないのだった。

末永は、早速、バックミラーの位置を直した。明るい街を走るので、座席の様子は十分に分る。二人が肩を合わせて寄り添っているのはこの前と違わないが、今夜はあのときの享楽《きようらく》気分だけではなく、少し事務的な調子がはさまっていた。この両人を乗せて走っていると、末永は眼の前の東京の街が一ぺんに木曾の風景に変ったような錯覚に陥った。

男の低い囁《ささや》きが聞えた。

「金が少し足りないんだ。何とか都合出来ないかね?」

男は煙草の赤い火を息づかせながら云った。

「そう」

女は低く云って、しばらく返辞をしなかったが、

「この前お金をあげてから、どのくらいになる?」

と訊いた。

「そうだな、十日ぐらいになるだろう」

男は烟《けむり》を吐く。

「あら、嘘《うそ》よ。一週間だわ」

「そうかな? だが、一週間でも十日でもおんなじことだよ。金が無くなったことはな」

「だって早過ぎるわ。あんた、無駄使いしてるんじゃない? 若い女の子でも対手にしてるんじゃないの?」

「とんでもない。こう見えても、いろいろと小遣いがいるんだ。楽団仲間とつき合ってると、そう吝嗇《けち》な真似《まね》は出来ないしな」

「そりゃそうよ。つき合いはちゃんとしなけりゃいけないわ。殊にあんたのような職業だと、仲間はずれになったら干されちまうわね」

「物分りがいいんだな」と男は低く笑った。「そんな訳で、五万円ほど都合出来ないだろうか? お前さん、預金があるんだろう?」

「あることは少しあるけれど」

女の考えている様子を男は横眼で見た。

「お前さんの貯金が減るのが嫌だったら、旦那からもらってくれよ。そうだ、これからそっちへ回ってくんないかな? おれも今晩中にそれが手に入ると、本当に助かるんだ」

「いやに急ぐのね」

「急ぐ。ちょいと事情があってな」

「女の子のため使ってるんじゃないの？」

「変にカンぐるんだな。そんなのは、もう、とうに卒業だよ。心配しなさんな」

「ほんと？」

「ああ。嘘なんか云うもんか」

そんな会話がひそひそとつづく。すると、女が末永の背中に顔を上げて、はっきりと命令をした。

「運転手さん、目黒を止めて五反田のほうに行ってちょうだいな」

「五反田ですか？」

「ええ。駅でなくてよ。戸越銀座のほうへ先に行ってちょうだい」

末永は来たなと思った。彼は心が弾んできた。これから何が起るかはおよそ分っているが、いよいよ、かねて知りたいと思っていたこの女の家がはっきりとたしかめられるわけだ。ついでに、渋谷《しぶや》に降りた猫背の亭主のほうもそこで見られるかもしれない。

若い男は低いハミングを口ずさんでいた。

女は途中で一度降りた。それは、通りがかりにあった電話ボックスに入るためだった。

末永は、多分、女が家に電話したのだろうと思っている。男は車の中でうきうきとハミングをつづけていた。すぐ金が入る愉《たの》しさを味わっている恰好《かっこう》だった。

金は女が亭主にねだって若い対手に与えるのであろう。先ほどちらりと耳にした会話の調子では、女はこれまでも若い男にたびたび小遣いを与えているらしい。それも千円や二千円の端金《はしたがね》ではなく、万単位の大金だった。女の亭主は金持に違いなかった。

電話から女が戻ってきた。

「いるかい?」

と男が小声で訊いた。

「いるわよ」女は軽く答えた。「あんた、ここで降りて待っててよ」

「そうかい。じゃ、その辺の喫茶店に入ってるよ。すぐ戻ってくるだろうな?」

「大丈夫よ。いま、電話でたしかめておいたから」

「じゃ、万事頼むよ」

男は女の肩を叩き、ドアを開けて外に出た。道路に立った彼は女に愛想よく手を振った。

末永は彼女一人を乗せて走り出した。

五反田に出て、広い通りをしばらく行くと、戸越銀座になる。女の指示は、末永に左に入る道をとらせた。五百メートルばかり走ると、高級な住宅地になってきた。長い塀と、奥まった家屋と、植込みの樹《き》がつづいた。

ストップ、と女が云《い》った。

「その辺でいいわ」

降りたのは瀟洒《しようしや》な邸《やしき》の前だった。しかし、女が歩いたのはその隣で、これはむやみと広い地所だった。建物そのものはそれほど大きくないが、近代的建築というのか、しゃれた設計になっている。ガレージもついている。門は鉄柵《てつさく》で、水銀灯の外灯に浮んだ家は、建築雑誌の口絵にも載っていそうだった。一つの窓だけに明りがあった。

敷地は千坪以上もあるように思われる。こんもりとした森のような木立が家の背景になったりしていて、暗いからよく分らないが、芝生や植込みも相当にあるらしい。この家と隣との間が一町もあるかと思われるくらいだった。

「運転手さん、ちょっとここで待っててね」

女は降りるときにそう云いおいた。

「またさっきの所まで帰ってもらうから」

女がそう云ったのは、この運転手だと道が分って便利なことと、この辺には流しのタクシーがめったに通らないためだった。

末永は、暗い車の中でハンドルに片肘《かたひじ》を突き、煙草を吸っていた。フロントガラスに女のうしろ姿が歩いてゆく。

すると、女が門の中に入る前に、すうっと一人の人影が現われた。眼を凝らして見ると、外灯の光に映ったその顔は、この前乗せた五十過ぎの男だった。つまり、末永が彼女の亭主と思っていた猫背の紳士なのだ。今は着流しに下駄《げた》ばきだった。さっきの女の電話で、門前に出てきていたのである。

両人は、そこでこそこそと何か話していた。夫婦とばかり思っていたのだが、どうも様子がおかしい。

風を入れるため窓は開いているので、向うの会話はよく聞えた。

「どうも子供の具合が悪くてね」と男の声が云っていた。「もしかすると、ここ一週間ぐらいのうちにいけなくなるかもしれない」

「まあ。お医者さんはどうおっしゃってますの?」

女が低く訊《き》いていた。

「医者も、欲しいものは何でも食べさせるがいいと云っている」

「可哀想《かわいそう》に」と女は溜息《ためいき》まじりに云った。「せっかくあなたが可愛がっていらしったお嬢さんに、いま先立たれては、がっかりですわね」

「参った」

男は肩を落していた。

「そうそう、君から電話で頼まれたものを持って来たよ」

「あら、すみませんわね」

男は懐《ふとこ》ろから包んだものを出した。云うまでもなく、女が電話で頼んだ金なのだ。

「ぼくはそんな具合で、ここんとこしばらく家から出られない」

「すみません……ご心配のところをこんなご無理をお願いして」

「少し病人の様子が落着いたら、君のとこに出かけるよ」

「わたしのほうは大丈夫ですわ。それよりも、お嬢さんのほうをどうか気をつけて上げて下さい」

女は渡されたものを早速ハンドバッグの中に仕舞った。

「気をつけて帰んなさい」

男は女とならんでこちらへ歩いてくる。見送るためであろう。

「大丈夫ですわ。それではご病人をお大事に」

「有難う」

女は急ぎ足に車に戻った。

末永は新しい義憤に燃えた。すでに今の会話だけでも、この男女の間がはっきりと推定できた。二人の年齢が違っているのも道理で、男はこの女を愛人として囲っているのだ。この前、戸越から渋谷まで両人を送ったが、車の中の様子ではまるきり夫婦と違わなかったが、つまり、そういう長い間柄だったのだ。

女はこの初老の男の世話を受けてどこかで生活している。そして、女は旦那から貰《もら》った金を世田谷《せたがや》の奥にいる若いバンドマンに貢《みつ》いでいるのだ。この早春に信濃《しなの》の温泉地を遊び回っていたのも、旦那の眼をかすめての秘密な享楽であった。

末永は車を元の方角へ回した。そのひょうしに、ヘッドライトが門柱を照射した。末永は素早く標札の文字を読んだ。「小川圭造」とある。

主人はその辺に立って女を見送っている。女は車から身体を乗り出して、うしろのほうに手を大げさに振っていた。末永は、何も知らない猫背の男、つまり「小川圭造」氏が気の毒になってきた。

世の中にはこういうこともあるものか。女の様子を見ると、前に受けた印象に変りはない。いずれ前身はバーのマダムか何かであろう。いや、或いはまだそういうものを経営しているのかもしれない。人のいい初老の旦那から金を搾《しぼ》って、せっせとヒモの芸能プロの男に貢いでいるのである。

末永はここで女を威《おど》かしてやりたかったが、どうせ対手はしたたか者だし、田舎者の自分が何を云っても、それほどこたえないに違いない。そうだ、これはあの旦那の小川圭造氏に一切を教えてやることだと思った。そのほうがずっと効果があるし、善良な旦那自身も救われる。幸い若い男の素姓もこちらは摑《つか》んでいるから、裏付にはことを欠かなかった。

だが、このまま黙っているのも業腹《ごうはら》だったので、彼は運転しながらうしろの座席に話しかけた。大丈夫とは思ったが、できるだけ作り声にした。

「奥さん」

「なあに？」

女は答えた。機嫌のいい声だ。金を貰ったばかりだから当然であった。

「奥さんは、あの家の方ではなかったんですか？」

女は含み笑いをした。

「ふふふ。どう見える？」

言葉もすっかりその職業の女のものだった。

「そうですな、わたしはあの家の奥さんかと思って、結構な住居にいらっしゃる人だと羨《うらや》ましく思っていましたよ」

「バカね。大きな家にいるだけが仕合せじゃないわよ」

「そりゃ、まあ、そうですが……」

若いヒモと遊んで歩いたほうがずっと幸福でしょう、とよほど云ってやろうかと思ったが、出かかる声を無理に呑《の》み込んだ。

「ぼくらはこんな仕事をしているためか、ああいう家を見ると羨ましくてなりませんよ」

どんなことを云おうと、この女は金輪際《こんりんざい》こっちの正体には気づかないのだった。

「あんただったら、そう思うかしれないわね」

「奥さんはどこにお住まいですか?」

彼は探りを入れてみた。

「さあ、どこでしょう?」

さすがに女はぬらりと抜ける。

「ですが、今の旦那と奥さんとは、相当ご親密なようですな」

「そう見える?」

女も先ほど若い愛人と一しょに乗っているのを運転手に見られているから、さすがに少しはきまり悪そうだった。

それから女は何となく黙りこんでしまった。末永も無言のまま元のほうへ走らせていたが、

「奥さん」

とまた呼んだ。

「今の家は、どこかの社長さんのお宅ですか？」

「どうして？」

「なんだか広いお邸ですから。あれで何坪くらいあるでしょう？」

「そうね、千二、三百坪ぐらいあるんじゃない？」

「そんなにあるんですか。凄《すご》いもんだな。ぼくなんか六畳のアパート一間でうろうろしてますからね。東京であんな広い邸を持ってるお宅はめったにないでしょう。やっぱり社長さんでしょうね？」

「さあ、どうだか」

女は言葉を濁した。

だが、気がさしたか、目黒の坂を上るところに降ろしてくれと云った。

「ここでいいんですか?」

「ちょっと用事を思い出したのよ」

この辺は流しのタクシーがふんだんに通っている。女は料金を払うと、さっさと降りて行った。小脇《こわき》に抱えたハンドバッグの中には、たった今貰ったばかりの札束が入っている。あれから三十分とは経《た》たないうちに、若いバンドマンに渡されることであろう。

末永は「空車」の標識を出して女の前を通り過ぎたが、百メートルも行かないうちに思い返した。このままだと、あの女との密《ひそ》かな因縁の糸も切れておしまいである。もう、あの女を自分の車に乗せることはあるまい。奇蹟《きせき》は三度以上起らない。

末永は車を電車道でUターンさせると、元の方角へ引き返しはじめた。客がつくと面倒だから標識の灯りを消して前の地点にさしかかると、女は別のタクシーをよびとめて乗り込むところだった。


夏が終りかけた。

東京の街にも山や海に出かけた人間がだんだんに戻ってくるようになった。タクシー商売をしていると、そういう客を乗せるからよく分る。

末永は、しかし、もう、タクシー運転手稼業《かぎよう》にも間もなく別れようと思っている。そういう話が小川圭造との間に出来ていた。つまり、彼はほどなく小川の使用人になるのだった。しかも、今度は自分の趣味を生かした仕事だった。

小川圭造とは、あのこと以来仲良くなっていた。

小川は或《あ》る会社の重役をしている。それほど有名な会社ではないが、父親がその会社の創立にあずかったというから相当に古い。小川圭造が住んでいる地所も親譲りのものだった。まだ、この辺が畠《はたけ》の多い田舎だったころ、三千坪ぐらい買い取っていた。それが戦後の財産税でほぼ半分になり、さらに圭造の代になって少しずつ切り売りしたので、今では千二百坪ぐらいに細まっている——と、これは圭造自身の話だった。

小川圭造はおとなしい男であった。人間も五十を境に円熟してゆくとみえる。思慮分別があり、感情を制御でき、他人の前に内面の苦痛を見せない。どんな衝撃をうけても取り乱すことはなく、叡知《えいち》と経験で築かれた安定感がある。——そういうタイプを小川圭造は代表しているようであった。

末永は、例のことをこの小川圭造に告げたが、それが彼との最初のつながりになった。

そのとき、小川圭造はそれほど愕《おどろ》いた顔をしなかった。蒼《あお》くなって興奮していたのは密告者の末永庄一のほうであった。当の被害者である小川圭造は煙草《たばこ》を吸いながら、ふん、ふん、とうなずいて話を聞いていた。

自分の愛人が若い男と隠れ遊びをしているという報告を、まるで他人ごとのように冷静に聞いたのだった。

「どうも有難う」

と小川圭造は礼を云ってくれた。

「わたしもそういうことはまんざら気がつかないでもなかったんだがね」

と彼は動揺のない顔で云うのだった。

「ほう。そいじゃ、もう、ご存じだったので?」

末永はびっくりして対手《あいて》の眼を見た。穏やかな眼だし、それをとり囲んでいる皺《しわ》も柔和そうだった。

「わたしは余計なことを云いに来たでしょうか?」

対手の表情を見ると、末永庄一もそんなふうに云わずにはいられなかった。

「いやいや、君の親切はよく分ります……まあ、君たちの年齢からみると、ちょっと奇妙かもしれないがね」

奇妙どころか、他人の末永が腹を立てているのだった。

「だがね、わたしぐらいの年になると、そういうこともときには大目にみなければならないんだよ。あれは……」

と女のことを云った。

「わたしよりずっと年が若いし、同じ遊ぶのにもやはり今ごろの若い人がいいんじゃないかな」

「旦那《だんな》は、そんなふうに考えてらっしゃるんですか？」

末永は、この重役と自分とは根本的にものの考え方が違うのかと思った。

「お恥ずかしい話だが、わたしは十年前に妻を亡《な》くして、あれと交渉を持った。そのころから年齢の開きは感じたが、このごろになるとわたしに若さというものが全くなくなってね。余計に年の開きを感じるんだ。まあ、君が知らせてくれたことは、親切で、嬉《うれ》しいが、正直、やむを得ないと思っている。いつかそういうことが起ると覚悟していたからね」

「すると、旦那は、あの二人のことを黙認してらっしゃるんですか？」

何もかも末永にはおどろきだった。

「いや、そう単刀直入に訊かれると返辞に困るが、わたしだってはっきり君の話を聞けば、愉快でないことはたしかだ。だが、今さらことを荒立てようとは思わないね。

それに、わたしはあの女のいいところも認めているんでね」

「ほう」

末永は眼をまるくするだけだった。

「何と云《い》うか、まあ、あれを娘みたいに思ってるときもある……君はまだ若いから、わたしの気持は理解出来ないだろうが……たとえば、芸者には旦那というのがいるだろう?」

「はあ」

末永も、恵那《えな》の町に芸者が二、三十人いるし、それを大井温泉に送り迎えしているので、よく知っていた。

「旦那というやつは、自分の女がかくし男をつくってると分っていても、わざと知らない顔をしているものさ。それが物分りのいい旦那ということになっている。ははは。つまらない見栄《みえ》だがね」

小川圭造は低く笑った。

「そういった気持だな。そりゃ君の云う通り、あれが若い男に小遣いを搾り取られてることも知っている。みんなわたしの懐ろから出る金だ。だが、それだからといって、わたしはあれを捨てるわけにはいかない。捨てたら最後、あの女がどんなことになるか、わたしにはよく分っている。そのバンドマンとかいう若い男にその日のうちにぽいと捨てられるのがオチだろう。それが可哀想なのだ」

そういう心境もあるものかと末永は感心した。金を持っていると、人間の愛憎観念まで変ってくるらしい。

「実を云うと、わたしには二十一になる娘がいる。妻が死んでからあれを正式に家に入れなかったのも、その娘がいたからだ。ところが、それがいま死にかかっている。わたしも力を落してるところだ。すでに結婚の対手まで決っていた矢先だから、余計だ……」

そういえば、この人と女との会話にそれらしいことが出ていたのを末永は思い出した。

「もう、すっかり無常を悟ってね。今さらあれをこの家に入れる気持もなくなった。むろん、女の不行跡が分ってのこともだが、それが全部の理由ではない。何と云うか、わたしだけの静かな心境にしばらくなってみたいんだ。今さら若い女のことで気持を乱したくないんだよ」

そう云われてみると、末永にも多少、分るような気がしてきた。しかし、世の中には何という寛大な男もいることか。自分の金が女を通じてヒモに取られていることも承知の上で文句一つも女に云わないというのだ。末永にはまだ現実離れした話としか取れなかった。

「末永君といったね？」

「はあ」

「娘が死ねば、わたしも一人になって寂しくなる。うちには旧《ふる》い女中が二人いるが、それでは話対手にもならない。見たところ、君も地方から出たばかりで、なかなか正直そうで面白い。ときどきここにやって来て、わたしの話対手になってくれないか……いや、こう云ったからといって、なにも君にあれのことを調べてくれとは註文しないよ」紳士はほほえんだ。「失敬だが、そういうことを調べるんだったら、君なんかより、どこかの秘密探偵社に頼んだほうがずっと効果的だ。そんな心配は一切ないから、気楽に遊びに来てほしい」

「ですが」

末永は対手をどう呼ぶべきかと迷ったが、社長でもないし、先生でもおかしい。やはり旦那であろう。

「旦那とあのご婦人とは、ずっと今後も交際をおつづけになるんですか？」

「まあね。別れるにしても、お互い、自然なかたちで手を切りたいな。君も分るだろう。不良がかったバンドマンを対手にしている。そういう手合がいる限り、わたしは何も云いたくない」

「そりゃごもっともですね」

末永はどうにかそれで分った。この小川圭造氏は、街の不良と同じ線に自分を落したくないのだ。女を愛しているようで、実は小川氏はずっと軽蔑《けいべつ》しているのだ。云うなれば、あの両人よりも、小川氏はずっと人間の格が違うのである。役者と貫禄《かんろく》の相違であろうか。

「どうも、わたしのような下司《げす》野郎には、つい、それ相応の知恵しか働かないものです。余計なことを申し上げました」

「いやいや、君の考えが本当だよ。それが正義感というんだろうね……まあ、そりゃ、お互い、その場限りで忘れたことにしよう。あの女もこの家には入れないから、君が遊びに来ても絶対に顔を合せることはないよ」

それから末永はたびたび小川氏の家へ行った。行けば、主人もひどく喜んで、何かともてなしてくれる。独身で無味乾燥なアパート生活を繰返している末永にとっては、これは思いがけない東京のオアシスであった。

末永がいつその家に行っても、主人が言明した通り、あの女とは顔を合わさなかった。小川氏は、まだ、あの女とこっそり外で逢《あ》っているのであろうか。それを訊《き》きたくて仕方がなかったが、さすがに正面から質問する勇気はなかった。末永もタクシーを流して東京中を回っていたが、あれっきり女にもバンドマンにも遇《あ》わなかった。三度以上の偶然が起らないのは当然であった。

小川圭造は遂《つい》に娘を失ったが、間もなく空いた土地を利用して新しい商売をはじめた。

正確には、それは末永のためにはじめたと云っていいかもしれない。小川氏は末永が無類の釣り好きだと知って、その広い空地を利用して釣堀をはじめたのだった。タクシー運転に飽いていた末永は、小川氏の厚意をひどく喜んだ。空地は余裕が九百坪ほどあった。勿論《もちろん》大きな釣堀は出来ないが、まず、近くの客を集めるに足るこぢんまりしたものはできそうだった。

末永は、その設計も小川氏から任された。彼は東京中の釣堀を見学して回った。また、釣堀同業組合といった所もあるので、そこに行っては、魚の仕入れから、魚の飼い方、餌《えさ》の作り方、水の補給や排水設備など詳しく聞いた。

小川氏は、末永に管理一切を任せるといった。

末永は、東京のタクシー会社に鞍替《くらが》えしたとき、三万円の支度金を取っている。そのため一年間はその会社に拘束されるのだが、その金も小川氏が払ってくれた。毎月の給料から少しずつ差引くという約束だった。末永はすぐに郷里に帰る意志をなくした。好きな魚の世話をして、それで東京の生活が出来れば、これに越したことはない。彼は、小川氏の敷地の立木が伐《き》り払われ、雑草が拵《むし》られ、地面が掘られ、多勢の人夫によって釣堀が造られてゆく工事を、毎日のようにやって来ては監督した。

彼は、四角い堀に水が満々と湛《たた》えられ、それに向って竿《さお》を垂れた客がならぶ情景を愉しそうに想像した。

刑事の場合

警視庁では関西方面に起った或《あ》る殺人事件の依頼を所轄署《しよかつしよ》から受けて、管内の家出人捜索願の書類を調べていた。

殺された女の身許《みもと》が判らない。年齢二十七、八で、どうも被害者は東京方面から来たらしいから、家出人について調べてほしいという委嘱だった。それには、人相の特徴、衣類など詳しく出ているし、現場の顔写真も添付されてあった。

係は捜索願の書類をめくって行った。こうして見ると、都内で行方不明になっている人間は、おびただしい数である。眼につくのは、十七、八から二十四、五歳までの女性が案外に多い。次は飛んで三十七、八歳から五十歳までの間であった。

数百枚の中から該当人と思われるものが択《えら》び出されたのは、目黒区上目黒××番地Aアパート内川久保澄江（三二）という女性だった。

特徴は「やや大柄なほう。円顔で髪濃し。化粧は派手なほう。家出日は九月十日午前十時半よりアパートを出て以来行方不明。遺書なし。当時の着衣は白のツーピースに白靴、ワニ革のハンドバッグ。所持金は不明だが、大体、三万円から五万円の間と思われる。顔の特徴は、眼が大きく、二重瞼《まぶた》、眉《まゆ》濃く、唇やや広きほう」となっている。届人は「品川区戸越××番地会社役員小川圭造」。家出人との続柄は「知人」と記入してあった。

関西の所轄署からの照会がこの家出人の特徴によく似ていたので、係員はそれを摘記して送った。もし、該当者なら、現地から誰かが出張して来て調べることになるのである。

しかし、その回答を出した直後に先方から通知があって、その殺人事件の被害者の身許がわかったと報《しら》せてきた。それは和歌山市在住の女性で、戸越の家出女性とはまったくの別人だった。

家出人捜索願を調べた係は、何かのはずみにそれを捜査一課の友人に話した。つまり、届人が「知人」とあったのに興味を持ったのである。ほとんどの届人は、家出人の肉親か、係累《けいるい》か、とにかく家族が多いのに、「知人」というのは少ない。

この「知人」は本人と届人との特殊な関係を暗示している。つまり、愛人か二号なのであろう。女が届人とは別なアパートに居住しているのも、それを首肯させるものがあった。

その話を聞いた刑事は、桑木という四十を越した男だった。庁内の食堂で茶を喫《の》みながらのことだったが、それが彼の耳にはみょうにのこった。刑事は、これは何かありそうだという気がした。

彼がそう感じたのは、ただそれだけのことではない。実はもう一つ気がかりな要因があったのだ。

数日前、桑木刑事は或る暴力事件を捜査していた。それには麻薬を使用する若いバンドマンの幾人かが関係した。そのときの捜査でちょっと小耳にはさんだのは、最近、宇津美《うつみ》浩三というドラム叩《たた》きがさっぱり姿を見せなくなったという聞き込みだった。

その暴力行為の被疑者たちは、いずれも或る芸能プロに属している連中だった。この芸能プロは二、三流どころの場末のキャバレーや劇場などに彼らを供給していたが、連中はヒロポンを常用し、マージャン賭博《とばく》をやり、ときには恐喝も働くという悪質なバンドマンであった。宇津美浩三もその仲間の一人だったが、これが少し前から行方知れずになっているというのだった。

もちろん、それは捜査のはじまる前のことで、当局の内偵を察知して逃走したとは考えられなかった。もしそうだったら、当然、仲間にもその由《よし》を教えるわけで、彼一人が身を守って遁《に》げるということはあり得なかった。そういう彼らの仁義は堅いのである。

桑木刑事が宇津美のことを仲間に訊《き》くと、

「あいつは何かいい金づるを持っていましたよ。ぼくらには絶対に明かしませんでしたがね」

とその一人が云《い》った。

「もちろん、対手《あいて》は女《スケ》でさア。それも商売女ではなく、なんだか知らないが、裕福な女のようでしたよ。あっしは誰かの二号さんじゃないかとふんでいましたがね。宇津美の野郎は、ああいう女蕩《おんなたら》しですから、そういうところは心得たものです。バクチで負けても平気だし、小遣いなんか惜しげもなくぱっぱと使っていましたな。ありゃどこかに金づるを持っていないと出来ないことでさア」

桑木刑事には、庁内の同僚から聞いた川久保澄江という二号さんらしい家出が、この不良バンドマンの逃走と何となく二重焼になって映った。むろん、はっきりした理論からでなく、一種の予感といったものだった。だから、違うかもしれない。いや、そのほうの公算が大きい。

桑木刑事は捜査となると粘《ねば》いことで知られている。彼は無駄を承知で宇津美浩三が居住している世田谷《せたがや》区の「みどり荘」というアパートを訪れた。

「あの人は九月十七日からいなくなりましてね。もう、一カ月経ちますが、どこへ行ったものやら、弱ってますすよ」

管理人はこぼした。

「もともと、あんまりいい居住者ではないので、そのうちここを出て行ってもらおうと思っていました。けれど、不良がかったところがあるので、実のところそれを云い出すのがおっかなかったんです。乱暴をされるか分りませんからね」

「女がここに訪ねて来なかったですか？」

「ええ、ええ、そりゃ始終ですよ。若いのから年増《としま》までね。夜遅くまで部屋で騒ぐものですから、近くの部屋の人に苦情を持ち込まれたりしましてね」

「年増というと、どれくらいの年齢が来ていました？」

「そうですな、三十二、三の、バーのマダムじゃないかと思うような人は、しょっちゆう来ていました」

「それは髪と眉の濃い、眼の大きな、円顔で、そして口がちょっと広い……」

桑木は暗記した川久保澄江の捜索願の特徴を述べた。

「よくご存じですな。その通りですよ」

管理人は眼を円くした。

「その女も、宇津美君がいなくなってからこちらに来ませんか？」

「来ませんね。宇津美さんがいなくなる前から、姿を見せなくなりましたよ。ほかの若い女《こ》は宇津美さんがいなくなったことを知らないで、度々訪ねて来ていましたがね」

「いや、どうも有難う」

桑木刑事は帰ろうとしたが、思い直して管理人にまた質問した。

「その宇津美君がいなくなった日は、たしかに九月十七日でしたか？」

「それは間違いありません。十六日が日曜日ですからね、よく憶《おぼ》えています」

「なるほど。それで、ここを出てゆくときの宇津美君の様子をあなたは見ていますか？」

「ええ。ちょうど、わたしは表を掃除していましたからね。そうそう、それで思い出しましたが、あれは十時半ごろでしたな。宇津美さんは、いつも着ている女の子の着るような赤いシャツを着て、グレイのズボンを穿《は》いていましたよ」

「ははあ、赤いシャツをね」

「そうなんです。そのときの顔色は、別段変ったふうにも見えませんでしたな。けれど、いつもだったら、何か軽口を云ったり、口笛を吹いたりするんですが、あの日に限って、少し不機嫌な顔をしていましたよ。ええ、もちろん、どこに行くということも云いませんでしたし、こちらも訊きもしませんでした」

桑木刑事は、次に戸越方面にいる小川圭造を訪ねなければならないと思った。小川は川久保澄江の家出人捜索願を出した当人である。


秋がはじまった十月の初旬であった。桑木刑事が番地を探して行ってみると、小川圭造の家は釣堀の隣にあった。

正確に云うと、同じ敷地内とみえて、彼の家と釣堀との間には低い垣根が設けられてあり、そこに出入り自由な木戸がとり付けてあった。

桑木刑事は勝手に入れる釣堀のほうに回ってみた。管理人のいるような小屋が横に新しく建っている。この釣堀は最近出来たらしく、非常に新しかった。竿《さお》を持った客が、三つに分れた堀の周りに腰を下ろしていた。

　たしか届人の肩書は「会社役員」とあったので、桑木刑事は少し妙な気がした。だが、主人は趣味でやっているのかもしれない。或いは重役をしている会社がそれほどのことはないのであろう。近ごろは、社長といっても裏店《うらだな》住まいの人だってある。

　桑木刑事は釣堀を出て、改めて小川氏の家を訪れた。瀟洒《しょうしゃ》な近代的な家で、隣にはガレージもついていた。

　幸い、主人は在宅だった。五十二、三の渋い顔をしている男で、頭には白髪が半分混っていた。こういう年齢なら、三十過ぎの年増を愛人に持ちそうに思えた。

「いや、お恥ずかしいことです」

　と小川氏は刑事を応接間に通して向い合って云った。

「ご想像の通り、川久保澄江はわたしが世話をしています。事情があって家の中には入れられないので、あのアパートに置いているのです。それが急にいなくなりましてね。もちろん、わたしには無断です。届出書に書いたように、それが九月十日のことでした。アパートの管理人に訊いても、さっぱり分りません。部屋にはちゃんと調度やタンスもあるし、衣類もそのままなんですが、あれの家出についでは、多少、わたしに心当りがないわけではないんです」

「はああ、それはどういうことですか？」

桑木刑事は、小川氏が宇津美浩三のことを知っているなと思った。

「あれにはちょっと悪い男が付いていましてね。わたしの眼を掠《かす》めては、その男と遊んでいたようです。わたしもそれとなく注意をしていましたが、ごらんの通り、わたしももう老人のほうですから、若い者のようにその不行跡にいきり立つわけにはいきません。つい、そのままにしていたんですが、あれはそれをいいことにして、その男と一しょにどこかに行ったと思うのです。まあ、それはそれでも構わないんですが、わたしの懸念《けねん》は、澄江は完全に男に騙《だま》されているらしいので、どうせうまくゆくはずはありません。酷《ひど》い目に遭って、転落するのがオチだろうと思っています。それが可《か》哀想《わいそう》ですから、一応、捜索願を出しておいたんですよ。澄江は、もと新宿裏でバーをやっていましたから、男には眼があると思っていたんですがね」

こういう話を小川圭造は淡々とした調子で云うのだった。そこには世渡りの経験を積み上げてきた初老の人の思慮と思いやりとが温かく出ていた。

「念のために伺いますが、あなたは、その対手の宇津美浩三という青年に会ったことがありますか？」

桑木刑事は訊いた。

「いいえ、一度もありません。それはわたしに忠告する者があって、対手がバンドマンだと聞いたからです」

「それをお知りになったのは、いつごろからですか?」

「そうですね、今年の春ごろだったでしょうか」

「そうですか」

刑事は、ふと、応接間の窓から見えている釣堀に眼を移した。

「ときに、ちょっと話は違いますが、裏に釣堀が出来ていますね。やはりこちらでお造りになったんですか?」

「そうです……この地所は親譲りで持っていましてね。近ごろ、しきりとこの土地を売ってくれと不動産屋が来ますので、一応、こういうものを造ったんですよ。こうしておけば、もう、何も云って来なくなりますからね。土地を遊ばせておくとうるさくて仕方がありません」

小川はやはり穏やかに微笑《わら》った。

「釣りのほうがお好きなんですか?」

「いや、好きというほどではないんです。ただうるさい連中の口塞《くちふさ》ぎですよ。いずれ、土地の価格がもう少し上ったら、売るつもりでいますが」

なるほど、そういう不動産屋攻撃の防禦《ぼうぎょ》法もあるものかと、刑事は感心した。

桑木刑事は、わたしのほうでも出来るかぎり川久保澄江さんの行方を捜します、と云ってその家を辞去した。小川圭造は、こういうことをお願いして恐縮だと恥入ったように何度も頭を下げた。

年齢からいえば、小川圭造は桑木刑事よりも十歳は年上である。あの年輩になって二十も年下の若い女に惑溺《わくでき》すると、忘れられなくなるのであろう。蔭《かげ》で不倫な遊びをしていると分っていながら、それがどうにも出来ないのは、やはり老境に入った人間の業《ごう》かもしれないと思った。幸い自分には金がないから、ああいう目に遭わないで済みそうだと妙なところで安心した。

桑木刑事は警視庁に帰ったが、二、三日はこの二つの失踪《しっそう》事件が頭から離れなかった。何かある。必ず裏に何かあると思った。

考えてみると、どうも小川圭造の云い方が不自然のようだ。あのときはその話に感心して帰ったが、人間の心理として、自分を裏切っている女をそのままにしておくものだろうか。小川氏は十年前に妻を失っている。子供もこの春に亡《な》くしたとかで、現在は女中を置いた独身生活みたいなものだ。可愛《かわい》い女がいれば、それに彼の愛情が全面的に傾倒されるのが本当ではなかろうか。女房がいないのだから、これは何をしようと家族から異議を申し立てられない。

どうも変だ。小川氏の云うことを年齢の相違と金持の心理だけに帰していいだろうか。

桑木刑事は、女と男の失踪した日付を比べてみた。川久保澄江は九月十日である。これは小川圭造自身が届出書に記入している。次に宇津美浩三は九月十七日である。宇津美の住んでいる「みどり荘」の管理人が、十六日は日曜日で、その翌《あく》る日だったからはっきりと記憶している、と云った。まず間違いのない申し立てだ。

女と男の失踪の間には一週間の開きがある。これは二人が示し合せて家出していないことを物語っている。別な考え方からすれば、女をまずどこかに逃しておいて、あとから男がそこに行くという方法もあるが、管理人の話によれば、宇津美浩三がアパートを出て行くときは赤いシャツにズボンだけという姿だった。スーツケースも持っていない。女の居所を追ってゆく恰好《かっこう》ではなかった。

桑木刑事は考えつづけた。一週間の意味である。

これを次のように解釈したらどうであろうか。まず、何かの理由で女が居なくなる。男と女とは別々に住んでいるから、彼女がいなくなったとしても直ちにそれが分らない。男がそれを知るのは少なくとも三、四日の後である。女が彼を訪ねて来なくなったこと、連絡が絶えたことなどで察しがつく。一週間は、宇津美浩三がはっきりと川久保澄江の行方不明を確認した時間ではなかろうか。

もし、この推定が当ったとすると、宇津美浩三の行動はどういうかたちで現われるか。彼は、多分、川久保澄江の旦那《だんな》である小川圭造が彼女を隠したか、または自分の邸内に引き留めているか、疑心を起すに違いない。九月十七日の午前十時半ごろ、宇津美浩三がいつになく不機嫌な顔で「みどり荘」を出て行ったのは、女のことで小川圭造に掛け合いに行くつもりだったのではあるまいか。彼は旦那が女を隠したと勘ぐったに違いない。近ごろの青年は万事がドライだから常識では割り切れない。

そうだ、これは自然だぞ、と思った。

宇津美浩三は、たしかに九月十七日に小川圭造の家を訪問している。

そうなると、宇津美浩三が小川家に入ったところを目撃している者が近所にいるはずだ。或《あ》るいはその家の門を潜《くぐ》るところを見なくとも、彼が小川家のほうへ向って歩いているところを見た者があるに違いない。それには幸い非常に有力な特徴がある。宇津美浩三の服装だ。女のように真赤なシャツを着ていたという。そんな色だったら、必ず目撃者の印象に強く残っているに違いない。

桑木刑事は、それから小川圭造の近所の聞き込みを秘かにはじめた。実は彼にはもう一つ内偵したいことがあるのだが、それはあと回しにした。

ところが、小川圭造の近所は大きな邸《やしき》のある住宅街になっている。道路も表通りから離れているので人通りが少ない。

この障害が桑木刑事のもくろみを狂わせた。

刑事は、宇津美浩三が九月十七日の午前十時半に「みどり荘」を出たということを起点として、小川圭造の家に入るまでの所要時間を計算した。すると、宇津美は必ず小川家に直行したに違いないから、彼の小川家訪問は、大体、十一時半から十二時という線が出てくる。

これを頭において近所の聞き込みをしたのだが、誰一人として知っていないのだ。全然表の道路のほうを見なかったという者ばかりである。

なるほど、時刻が悪い。出勤する者は大てい家を出たあとだし、また、各家庭では家の中の掃除や、早手回しの昼食の支度にかかるころだ。それにどの家も前には塀があるから、通行人の姿を始終見ているわけではない。これは大きな家のならんでいる住宅街の盲点だった。

しかし、刑事の努力はやっと報いられたかにみえた。

それは、小川家から約百メートルほど離れた所だが、道路に面したわりと小さな家の主婦が彼の質問に答えてくれた。

その主婦の話によると、九月十七日の午前十一時半ごろ（彼女は郷里から小包が来ることになっているので、それを待って、早く郵便屋さんが来ないかなあと道路のほうを気をつけていたという）表を若い人が通っていた。背の高い人で、ひどくせかせかと歩いていた。尤《もつと》も、玄関と道路が遠いので、その若い男の顔はよく見えなかった。

こういうことを、その三十過ぎの主婦は生後五カ月ぐらいと思われる赤ん坊を抱いて刑事に述べたのだった。

桑木刑事は胸を躍らせた。

「奥さん、その若い男はどんな服装をしていましたか？」

「そうですね、シャツとズボンだけでしたわ」

刑事は急《せ》き込んだ。

「そのシャツの色は？」

「そうですね、灰色っぽい色でしたわ」

「えっ、灰色ですって？　奥さん、それは記憶違いじゃありませんか？」

「そうですね……」主婦は考えたが、「いいえ、やっぱりグレイでしたわ」

「いやいや、そんな色じゃなくて、赤い色ではありませんでしたか？」

「赤い色ですって？」

今度は主婦のほうが刑事を強く見た。

「とんでもない。赤い色などではありませんわ。グレイです。それは間違いありませんわ」

刑事はがっかりした。

桑木刑事は、この主婦が大へんな記憶違いをしていると思った。赤とグレイとではまるきり異《ちが》う。折角、「若い男のシャツとズボン姿」まで追い込んでおきながら、色の点で足踏み状態になった。

「それは確かですか。その若い男のシャツは赤い色だったのじゃありませんか？」

刑事は何度も念をおしたが、主婦は頑強に自説を主張して、

「いくら何ンでも、赤と灰色くらいの異いはおぼえていますよ」

と乳呑児《ちのみご》を抱えあげながら、果ては憤然とした表情になった。

刑事は、主婦がこれほどまでに自信をもつのなら、間違いはあるまいと思った。惜しいところで色彩の点で挫折《ざせつ》してしまった。まさか宇津美浩三が表は赤で裏がグレイのシャツを買っていて、この前を通るときに裏返しに着たわけではあるまい。

刑事は玄関の敷台から腰をあげようとした。が、そのときになって、はっと気づい

た。

――この主婦は色盲ではあるまいか。

そう考えたのだ。色盲には、赤と灰色の色がとり違えて見えるというではないか。

桑木刑事は、浮きかけた腰をまた下ろした。さて、この主婦の色盲をどのような方法で実験《テスト》したらいいか。まさか、正面から、あなたは色盲ではありませんか、とも訊《き》けない。うっかりしたことを云《い》えば怒られそうだった。

桑木は、ポケットをさぐった。何か色のついたもの、例えばマッチか煙草《たばこ》の函《はこ》がないかと思ったが、生憎《あいにく》とり出した煙草は「しんせい」だった。これは袋が茶色の地色に印刷してあるから、ちょっと役に立たない。マッチは無かった。

「あら、マッチですか」

と主婦のほうから云った。

「恐れ入ります」

赤色のラベルを貼《は》ったマッチが出るのではないかと思って頼むと、主婦は気軽に立って奥へ行った。抱かれた赤ン坊が少しむずかっていた。

主婦は引き返してきたが、マッチは白地に黒文字で印刷された寿司《すし》屋のものだった。

桑木はまたがっかりした。

仕方なしに、そのマッチで煙草に火をつけた。膝《ひざ》の赤ン坊がいよいよむずかって泣きはじめた。

「あら、坊や、泣いちゃ駄目よ。ほら、ほら、ほら」

と主婦は、いまマッチをとりに起ったとき持って来たらしい円筒型のガラガラを振ってあやした。

桑木刑事の眼が輝いた。そのガラガラはセルロイド製だが、真赤な色が鮮やかに塗られているではないか。彼は弾む胸を抑えた。

「可愛い坊やですな」

と桑木は赤ン坊の顔をのぞきこんだ。

「もうどれくらいですか？」

主婦は子供のことを聞かれてにこにこした。

「生後五カ月と十日ですわ」

とわが子の顔に見入った。赤ン坊は桑木刑事がのぞいたので、びっくりしたような眼で彼を見つめている。

「ははは。ぼくの顔を見て泣きやみましたな」

「刑事さんでは泣く児も黙るといいますから」

主婦は冗談をいった。

「とんでもない。ぼくは日本一やさしい刑事ですよ。それでご機嫌が直ったのですよ。どれどれ、おじさんが抱っこしてあげましょうね」

桑木は母親の手から赤ン坊を抱きとり、如才なく、そのガラガラも片手に握った。

「坊や、いい子だね、ほら、ほら。音がするよ」

と赤い玩具を振って見せた。すると、赤ン坊は忽《たちま》ちベソをかいた。

「いけない。やっぱりお母さんでないと駄目だな」

桑木は坊やは主婦に戻したが、ガラガラだけは自分の片手に残した。

「奥さん、赤ン坊には、こういう色の玩具が気に入るんですかな？」

桑木は、主婦が打ち融《と》けてくれたのを見て、彼女の前に赤いガラガラを示した。主婦はそれに眼をとめた。

「そうでしょうね。おもちゃというと、たいてい赤い色が多いようですわね」

と、あっさりと答えた。桑木は完全に降参した。

この主婦は色盲ではなかった。赤い色を「赤い」と云っている。正常な視力の持主だったのだ。――やはり、彼女の見た若い男は灰色のシャツをきていたのである。

同じ日の推定時刻にこの道を通った青年が何も宇津美浩三ひとりとは決定できない。

ほかの若い者だって通行するのだ。その男が、グレイ系統のシャツをきていても不思議はないのだ。第一、この主婦は宇津美浩三の顔を確認していない。また、今ごろの若い者は、赤い色と同じように、そんな色のシャツもきている！

しかし、困ったことに、この結果、宇津美浩三が小川圭造の家を十七日に訪問したという証明が完全に潰滅《かいめつ》して了《しま》ったのである。ほかには目撃者が一人もいないのだ。

桑木刑事は、その家を出て、もう一度、釣堀のほうへ向った。

何となく憂鬱《ゆううつ》な気持だった。あの主婦が色盲でないことは、今のちょっとしたテストでもはっきりと分った。宇津美浩三は、たしかに赤いシャツを着て、十一時半ごろ、あの主婦の家の前を通った、と思う。

ところが、主婦は灰色のシャツだとはっきり云っている。色盲ではない。この矛盾をどうするか。桑木はやはり、その時刻に彼女の目撃した若い男が宇津美浩三以外にないと断定していた。

浮かない気持で釣堀の中に入った。実は彼がもう一つ考えていることというのは、この釣堀に関連している。

彼は竿《さお》を垂れている客の傍に立って、しばらく見物するようなふうをした。この位置は小川圭造の家の裏手に当る。ここからも彼の瀟洒《しょうしゃ》な二階建の家が近くに見えていた。

桑木は、この釣堀が最近出来たのを知っている。それは、建物の新しさや設備の模様などですぐ分るのだ。

しばらく立っていると、向うからバケツを持った若い男がこっちに向ってやって来た。はは あ、これが管理人だな、と桑木は思った。その男が来る前に彼のほうから近づいて話しかけた。

「今日は」

若い管理人は立ち停った。

「今日は。どこか場所をお探しですか?」

客と見て、管理人のほうが気を利《き》かせた。

「いや、今日は釣りに来たのじゃありません。最近、ここに釣堀が出来たと聞いたものですから、ちょっと見学に来たんですよ」

「そうですか。それはそれは」

管理人は愛想がいい。新しい商売なので、自然とサービスがいいのかもしれない。どこか朴訥《ぼくとつ》そうな青年だった。

「ここは、いつごろ出来たのですか?」

彼は訊いた。

「開店は一週間前です。工事をはじめたのは、その前からですがね」

「ははあ。すると、あなたは小川さんに傭《やと》われてる人ですか？」

「そうです。わたしは釣りが好きでしてね。ある因縁から、こちらに使ってもらうことになりました」

桑木は、青年の言葉の中に、どこか信州訛《なま》りのあるのを耳で発見した。

「あなたは地方の方ですね？」

「そうです。木曾《きそ》に近いほうですがね。東京に出て来て、しばらくタクシーの運ちゃんをやっていましたが、こういう所に転業したんですよ」

「結構ですな。好きな道で生活するのが一ばんです。すると、この工事の間、あなたもずっとここに立ち会っていらしたんですか？」

「そうなんです。旦那《だんな》は」

と管理人の末永庄一は中年の男に話した。

「旦那は、こういう趣味はあまり向かないほうでしてね。ここに釣堀を造ったのも、不動産屋がうるさいので、その撃退法ですよ。ですから、ぼくが一切を任されたんです」

「この堀の深さはどのくらいですか?」

刑事は三つの堀をじっと見て云った。

「大体、二メートル少しぐらいあります」

池の水は濁っていた。鯉《こい》や鮒《ふな》が水の底から背中を見せたり、跳ねたりしている。客は餌《えさ》をつけ替えているのもあり、つくねんと睡《ねむ》ったように坐《すわ》っているのもある。刑事の眼は、その堀の深さを測っているようにみえた。

「わたしは素人《しろうと》ですが、この堀の底はどういうふうになってるんですか。底はコンクリートで固めてあるんですか?」

「いや、そういうことはしていません。下は地面のままですよ」

「よく水が減らないものですね?」

「水は井戸からモーターで汲《く》み上げて堀へ落していますがね。いつも満水の状態にしていると、案外に減らないものですよ」

「そうですか。ときに、この土地を掘るときにはあなたもずっと見ていたわけですね?」

「もちろんです。わたしが監督者ですからな」

「夜はどうなんですか?」

「夜ですって？　もちろん、夜は仕事を止めますよ」

「すると、工事人も全部帰ってしまうわけでしょうね？」

「そうです」

「あなたもですか？」

「ぼくも夜ここにいても仕方がないので、アパートに帰ります。アパートは洗足池のほうですがね」

「すると、昼間の仕事が済むと、夜、ここには誰一人としていないわけですね？」

「そうですよ」

末永庄一は、妙なことを訊く客だと思った。釣りのことから、いつか妙なほうに質問が回ってきている。

「工事がはじまったのは、正確にはいつごろからですか？」

「あなたは、一体、どなたですか？」

末永は、これは同業者の回し者ではないかと思った。とかく新しい商売をはじめると、旧《ふる》い同業者が意地悪をすると聞いている。彼が対手《あいて》の顔にじろりと眼を剝《む》くと、

「失礼しました」

と云って、その中年男はポケットの内側から名刺入れみたいなものを出した。黒革

の警察手帳だった。

　末永は、はっとして思わず頭を下げた。永い間タクシーの運転手をしていると、とかく警察には弱い習性がついている。

「こういう者ですが、ちょっと、ある事情でそれを知りたいんですよ」

　中年の刑事は、前よりもずっと言葉がくだけた。顔もにこにこしているのだ。

「正確には、いつごろからこの土地を掘りはじめたか、憶《おぼ》えていませんか？」

「左様でございますね」

　と答えるほうも言葉が変った。

「たしか、穴を掘りはじめたのが九月の初めだったと思います。ええと、そうですね、五日か六日ごろじゃなかったでしょうか」

「ははあ。すると、九月十七日には、この堀のかたちは大たい出来たわけですね？」

　九月十七日は、宇津美浩三がアパートを出たまま失踪《しっそう》した日だ。

「そうです。完全に工事の手が終ったのが十九日で、二十日から水を入れましたから」

「この工事を請負った所はどこですか？」

「それは大森の梅本組です。住所はわたしが憶えています」

対手が刑事だと分ったので、末永もここで非常に協力的になった。

「どうも有難う」

桑木は管理人に礼を云って、手帳を仕舞った。

「何かあったのですか？」

「いやいや、何でもないですよ。ちょっと参考のためです。まあ、あんたがそんなに心配することはないですよ」

刑事は、善良そうな青年に笑いかけて釣堀を離れた。

そのときだった。ふと、小川圭造の家を見ると、二階の障子が少し開いている。その間から、一人の男がこちらを見下ろしてじっと立っていた。いうまでもなく主人の小川圭造だった。その顔つきは、寂しいような、悲しいような、何とも云えない表情に見えた。

桑木刑事は疲れて警視庁に帰った。十月に入ったというものの、外を歩き回ると、やはり汗ばんでくる。

彼は、あの主婦の証言がまだ気に入らなかった。なぜ、赤いシャツがグレイに見えたのだろうか。あれはたしかに宇津美浩三だったのだ。

顔こそ遠くて分らないと云ったが、彼女の証言する背の高さといい、推定時刻といい、宇津美以外に考えられない。

桑木は庁内の調査部に行って、百科辞典を調べてみた。「色盲」の項である。

「この遺伝質は性染色体に存在するが、女性では性染色体が一対あるため、二個の染色体が共にその遺伝質を持たないかぎり症状としては発現しない。ただ一個の染色体に遺伝質が与えられても色覚障害は起らないのである。ところが、男子の場合は性染色体は一個あるだけであるから、これに遺伝質が与えられれば色覚障害が起るのである。従って女子には色盲の現われることは少なく、しばしば健康に見える女子を通じてその子に遺伝し、それが男子であればしばしば色盲が発現する」

何のことかさっぱり分らない。

ただ、ぼんやりと分るのは、どうやら、女子においては色盲が男子に比べて大へんに少ないということ。そして、この色盲は、どうやら、劣性遺伝であるらしいことである。

桑木は、あの主婦の場合を考えてみた。彼女も果して劣性遺伝の色盲であろうか。百科辞典の解説によれば、それは主として男子において発現されるというから、あの主婦にはこれも当てはまらない。第一、何よりも彼女が色盲でないことは、赤ン坊の赤いガラガラの玩具でもテスト済みである。

だが、桑木はまだこの疑点を捨てなかった。グレイと赤、赤とグレイ。——この色彩倒錯の定型があの主婦の口から洩《も》れた以上、もっとこの点を追及してみなければならぬ。

今の百科辞典を見ると、色盲は先天性となっている。桑木が考えたのは、果して色盲は先天性だけかということだ。

彼は眼科の医者へ駆けつけた。

「色盲は全部先天性とは限りませんよ」

と桑木のよく知っている眼科医は答えた。この人には警視庁でも鑑定を頼んでいるから、大へん質問もしやすかった。

「身体の障害で、一時的な色盲に陥ることはあります」

「身体の障害といいますと?」

「そのいい例が原田氏病というんですがね。原因はまだ分りませんが、結核に因《よ》るアレルギー説、ビールス説などがあります。この病気に罹《かか》ると、毛髪、皮膚、内耳、脳膜などの色素を持っている部分が侵される全身病です。正確には急性瀰漫性脈絡膜炎《びまんせいみゃくらくまくえん》と呼んでいます。これに罹ると、脈絡膜の腫脹《しゅちょう》、混濁が強く、網膜が剝離《はくり》して視力は著しく障害されます」

「それは自覚症状がありますか？」

「もちろんあります」

桑木は、あの主婦の場合を考えた。どうも、それとは少し違うようだ。

桑木は、ここで医師にあの主婦の場合を想定して話した。

「そうですね、何か病気をしたということは云っていませんでしたか？」

「いいえ、そりゃ云いませんでしたよ。見ていても、とても健康そうでした。赤ン坊を抱っこしていましたが、まるまると肥《ふと》った、いい子でしたよ」

「なに、赤ン坊ですって？」

「はあ」

医師はちょっと考えていたが、

「それは、いつごろ産んだんですか？」

「生後五カ月と十日だと云っていました」

医師は黙って起《た》った。そして、彼は一冊の本を出し、自分で頁《ページ》をめくって、そこを黙って桑木の前に出した。

「軸性視神経炎《じくせいししんけいえん》　羅《ラ》　Neuritis optica axialis＝軸性視束炎《じくせいしそくえん》、球後視神経炎《きゅうごししんけいえん》　Neuritis optica retrobulbaris

視神経内の乳頭黄斑線維《にゅうとうおうはんせんい》の疾患《しっかん》で、一般には慢性のものを指す。

〔症状〕視力減退・ラケットあるいは亜鈴型の特異な中心暗点・羞明《しゅうめい》・光視症等を示し、眼底には著明な病変を見ないことが多い（まれに乳頭の充血）ただし無赤光線検査によって、中心窩《か》から乳頭にかけてさざなみ様反射が認められる。周辺視野・マリオット氏盲点は一般に正常。

〔原因〕ビタミンB_1欠乏（最も多く、脚気《かっけ》弱視・授乳弱視もこの一つである）、アルコール、タバコ中毒・多発性硬化症・副鼻腔《びこう》炎等」

　桑木刑事はその医学書から眼をあげた。

「先生」

と彼は昂奮《こうふん》して云った。

「この軸性何とかいう病気は、やはり赤灰異常が起りますか？」

「起ります」

　眼科医はうなずいた。

「おそらく、その奥さんの場合は、お産をしたのちに非常にビタミンの欠乏があったのでしょうね。そこに書いてある通り、ビタミンB_1です。そのため軸性視神経炎が起ったが、これは多くの場合、患者自身に気がつかない場合があります。従って栄養の補給が完全になれば、患者も気づかないうちに治癒します。おそらく、その奥さんは、自分が一時的な色盲になっていたことなどは考えなかったでしょう。これが冬でしたら、ほら、女の人は赤い足袋を穿《は》くでしょう、その赤い色が灰色に見えたりすると、自分でも分りますが、そういう色彩を特に判別する機会がなかったのでしょうね」

「治癒の状態はどうですか？」

「ビタミンB_1の補給があれば、非常に早く恢復《かいふく》します。わたしが考えるのに、その奥さんが青年のシャツを見たのは九月十七日でしたね。あなたが行ったときよりは一カ月も前です。おそらく、そのころが、奥さんの軸性視神経炎の最盛期か、又は治癒に向っているころではなかったでしょうか。その奥さんが青年の赤いシャツの色をグレイと云ったのは、やはり正直な答えだったのですよ」

「先生、有難うございました」

桑木刑事は医者の前に恭《うやうや》しくお辞儀をした。

桑木刑事は、上司に小川圭造の釣堀を掘り返すよう上申した。

「九月十七日午前十時半に、宇津美浩三はそのアパートのみどり荘を出ました。彼はその一週間前から愛人の川久保澄江の消息が絶えたことを知って、てっきり小川圭造が女を監禁したか、または自分と離すためにどこかに逃したかしたと思い、それを詰《きっ》問《もん》に小川宅へ行ったのだと思われます。このとき宇津美浩三は赤いシャツを着ていたが、これを小川宅付近の或る主婦に目撃されています。ところが、主婦は赤ン坊を出産し、授乳その他でビタミンB_1の欠乏を来《きた》し、一時的な色盲となって、この宇津美の赤いシャツを灰色と見誤っています。これはあとで証明出来ます。

宇津美浩三は小川圭造の家に行って、多分、女を出せと云ったに違いありません。私の推定では、小川圭造はその男の来ることを予期していて、すでに彼を殺害する準備が出来ていたと思います。その方法は本人の自白をまたねば分りませんが、彼はすでに川久保澄江を一週間前に自宅で殺害し、それを邸内のどこかに隠していたと推察出来ます。こうして一種の囮《おとり》仕掛で自分の愛人を奪った宇津美浩三をおびき寄せ、ここでも彼を殺害しました。その犯行は、彼が訪ねてきた九月十七日であったと思われます。

しかるに、小川圭造は、九月の初めより自宅裏の敷地内に約九百坪ばかりの釣堀の工事をはじめました。私は小川圭造に会って聞いたのですが、彼は釣りにはそれほどの趣味を持っておりません。彼によれば、その釣堀は、敷地を譲渡してくれという不動産業者の来訪が多いので、それを撃退するために造ったのだと云っておりました。しかし、これが明らかに虚偽の申し立てであることは、以下の推定で分明であります。

即《すなわ》ち、小川圭造に傭《やと》われた末永庄一という元タクシー運転手の管理人の話によれば、九月十七日には釣堀の工事が、大体、完成に近づいていたと云っています。この工事を請負った大森の梅本組の責任者について話を聞くと、末永の申し立てと一致しております。以下は自分の推定でありますが、小川はほぼ出来上った二メートル三〇の穴の底に降りて、そこを掘って、さらに深い場所に川久保澄江と宇津美浩三の死体を埋めたと思われます。或《あるい》は二人いっしょでなく、三つの釣堀のいずれかに別々に埋めたことも考えられます。いずれにしても、釣堀の工事はほぼ完成に近づいてはいたが、まだ完全ではなかったのです。ですから、大体、掘り下げを終った底部の下を更に掘っても、その上に土をかけておけば、翌日来た工事人の眼にはさほど異常に映らなかったと思われます。即ち、その上の土を均《なら》し、水を入れるために完全な工事施行がなされたと思われます。

小川圭造の犯行の動機については、推定するに疑問の余地はありません。彼は自分の愛している川久保澄江が、そのヒモであるところのバンドマン宇津美浩三と通じ、しかも、自己の金が悉《ことごと》く宇津美に渡っていることを知って激怒したに違いありません。だが、彼は一応五十二歳の紳士であります。ことを荒立てるよりも、川久保澄江と宇津美浩三とを殺害することが最上の方法だと考えたに違いないと思います。しかして、死体の処置は、以上述べたような方法で釣堀をこしらえ、その上に水を湛《たた》え、魚を放ち、客を集めるという、極めて巧妙な偽装を計画したのだと考えられます。現場の工事人は、管理人の末永庄一を含めて、夜間はそこから全部引揚げてしまいます。従って邸内に隠している死体を掘り出し、小川圭造が夜間に死体の埋没工事を行なっても、誰にも分らずに済んだのだと思います。

以上によりまして、小川圭造所有の釣堀を発掘する必要があることをここに強調したいと思います。二個の死体は、必ずその釣堀の底から現われると信じています。物的証拠は現在何一つないように思われますが、発掘された死体がすべてを解決すると思われます」

秋を感じる穏やかな日、警視庁では小川圭造の釣堀の発掘を行なった。

その日一日は客を断り、池の水を落し、空になった堀の底に捜査員が降りて、鍬《くわ》やシャベルで土を掘り返した。

小川圭造は現場の発掘の令状を示されても、一言も云わずに家の奥に引っ込んだ。

桑木刑事は、その工事の間、息を詰める思いで立っていた。いや、彼自身もシャベルをふるった。臨時に傭った多くの人夫の手で発掘作業は進んだ。一メートル掘られ、二メートルになり、三メートルまで掘り下げられた。

死体は出なかった。

桑木は焦《あせ》った。そんなはずはない。この底に必ず死体があるのだ。赤いシャツを着た宇津美浩三と、三十二歳の肉感的な川久保澄江の泥まみれの死体が必ず横たわっている。

桑木は眼を充血させて発掘員を督励した。自分でも鍬をふるった。底は三メートル近く掘られていた。

やはり死体は出なかった。

朝から掘りはじめて夕方近くになった。深さはすでに四メートルに達していた。もう早、どこにも土の下に死体が隠されていないことが分った。小川圭造がこれより深く掘り下げて死体を埋めたとは考えられないのである。それでも念のためにもう一メートル掘った。が、三つの空堀からは人間の爪《つめ》の先も発見されなかった。

桑木は敗北した——。

彼はぼんやりとそこに立った。上司に無理に上申してこの発掘となったのだ。上のほうでは物的証拠がないというので、大分反対もあった。それを桑木は強引に現場発掘に持って行ったのだった。

彼は情けなさそうにあたりを見た。多勢の人夫は、作業を止めて穴の中から匍《は》い出して来ている。掘った土は無残にその辺に堆積《たいせき》されてあった。赤い土だった。彼自身も泥んこの姿だった。

この不始末のあとでは釣堀の補償問題も当然起る。池の中の魚は、近くの急ごしらえの水槽《すいそう》の中に移してあるが、また元通りの釣堀に直すまですべて弁償しなければならない。いや、そんなことはどっちでもいいが、彼の、というよりも、警視庁の面目は丸潰《まるつぶ》れだった。桑木刑事は、その責任で眼の前が眩《くら》みそうになった。

そこに居合せた上司も同僚も、彼には一言も口を利《き》かなかった。皆は彼の立場を気の毒がっているのだが、桑木にはそれさえも、みなから自分が責められているような気がした。

彼は肩をすぼめてのろのろと、手足を洗いに水の出ている所に歩いた。

朝から五メートルばかり掘った土の山が無残に眼に映った。何を見ても眼を刺されるようだった。若い管理人は腕を組んで刑事を睨《にら》んでいる。

桑木は手足を洗った。冷たい水だ。洗った水は土で赤くなって足もとから、流れた。

彼は、うしろを振り返った。掘り出されて積まれている土に眼を止めた。彼はしばらくそれを凝視していた。

桑木刑事は、大森に梅本組を訪ねてからタクシーに乗った。めったにタクシーに乗らないのだが、今は電車などで遠回りをしていられなかった。

彼は世田谷《せたがや》の奥でタクシーを降りた。梅本組に教えられた場所だった。その辺は丘陵と丘陵の谷間になった低地だった。武蔵野《むさしの》の台地はいくつもの起伏を繰返しているが、桑木刑事が立っている所は殊に低い窪地《くぼち》だった。その低湿地のためか、最近膨脹《ぼうちょう》した住宅街も、ここだけは敬遠して最近まで取残されていたことを物語っていた。

今、その低地に同じような恰好《かっこう》の小さな家が十戸ぐらい建っている。明らかに不動産屋の手に成る建売住宅だった。家は最近着手したもので、屋根に瓦《かわら》を置いただけの木組みで立っていた。

家は五百坪ばかりの赤い土の上に建っていた。土の色は新しかった。最近、この土が他所《よそ》から運ばれ、そこの住宅造りの用地を築いていた。

（へえ、小川圭造さんの所の釣堀の土は、世田谷の××町の奥に運びましたよ。低い土地でしてね。そうですね、たしか、三日間にわたって運んだと思います。もちろん、小川さんとこだけの土では足りませんからよそからも持ってきてあの辺の盛土をしました。へえ、仕事は夕方の六時きりで切り上げましたがね。……）

梅本組の責任者の声が桑木の耳に残っている。

桑木は、建ちかけの家の下に盛られている赤土に見入っていた。

小川圭造は自家用車を持っていた。あの家にガレージがあった。

彼は、夜、二つの死体を自家用車に乗せて、ここまで運んできたのであろう。まだ、この土がローラーで固められない前だ。彼は、深夜に一人でここの土を掘った。この辺は寂しい所だ。雑木林もある。夜間はもっと暗く、寂しいに違いない。作業は誰にも気がつかれないで済む。掘った穴の中に二つの死体を埋める。それから土を元通りにかぶせる。

翌日からは、さらにあとの土がトラックでここに運ばれ、彼が死体を埋葬した土の上に積み上げられる。それからローラーが転がって地均《じなら》しが行われる。上の盛土が厚いだけ、死体は下のほうに沈澱《ちんでん》する。

そういう労働があの初老の男一人でやれるだろうか。死体は二個だ。しかも、若い男女だ。死体の重量、土掘りを考えると困難な作業だ。

これには共犯者がある。だれだろう? 桑木刑事は釣堀の若い管理人の顔をうかべた。木曾《きそ》から出てきたという元タクシーの運転手だ——。

桑木は、赤い土の上にマッチ函《ばこ》のように建ち並んでいる建て売りの家を眺めた。やがて、壁が塗られ、建具が入り、電灯がともり、サラリーマンたちの平和な生活がはじまる。
桑木は、その土を踏んで歩いた。
日が昏《く》れかけて西の空が真紅になっていた。まっ赤な色だ。
あの乳呑児《ちのみご》の母親が持っていた玩具の色のように、赤い空だった。それから、あの
宇津美浩三の着ていたシャツのように、赤い雲だった。——
黒い影になっている雑木林の上に、無数の小鳥が群れていた。遠くの街に灯が点《つ》い
ている。
桑木は、ふと、足を停めた。彼からかなり離れた所に、着流しの男がひとり立って
いた。猫背の、初老の男だ。桑木刑事と眼が合った。小川圭造は、寂しいような、悲
しいような顔でいた。
いつか刑事が釣堀を訪ねたときに、二階からのぞいていた表情と全く同じだった。
その姿は黒い木立を背景にして、こよなく孤独で、うら哀《がな》しそうだった。
夕昏れの気流がながれているように、その形が微妙に慄《ふる》えていた。
刑事は、小川圭造のその姿が告白前の姿勢であることに気がついた。

暗線

1

三浦健庸先生。

先日は、突然お邪魔に上って失礼しました。新聞社の「文化部次長」という肩書のついた名刺をさし上げたのは、一面識もない私が、誰の紹介にも依《よ》らずにお目にかかる方法として、これよりほかになかったからであります。従って大学教授として、また、文化財保護委員としてのあなたの専門である古代染色について話を伺ったのは、面会の口実を果しただけであります。私としては、あなたに直接にお目にかかりたかったことと、あなたのご祖父である三浦健亮博士の「古代刀剣の研究」についてのお話も少しばかり触れて頂きたかったからです。

こう書くと、あなたは、それなら何故はじめからそう云《い》ってこないのだとお腹立ちになるかもしれませんが、私としては、或《あ》る理由のため、(私に古代刀剣の知識がうすいこともありますが)正面からお尋ねできなかったのです。

それでも、あなたは快く初対面の私(むろん新聞記者として)と一時間も話して下さいました。古代裂のはまった額のある応接間の雰囲気はあたたかいものでした。殊《こと》に壁間に掲げられてあるご祖父健亮先生の肖像画（帝国大学教授としての文官の大礼服姿でした）は四十五、六歳くらいのころとお見うけして、度々、私の視線が奪われたものであります。

　帰りには、ちょうど、外出先から戻られた奥さまや、ご長男にもお会いし、みなさまで門外に待たせてある車までお見送り下さったのは恐縮でした。和やかな御家庭の御気風がしのばれて、車が走り出しても、しばらくはほのぼのとした気持に浸っていたことです。同時に、ある感慨が私を捉《とら》えて放しませんでした。

　それが、どのような感慨であったかは、勿論《もちろん》、あなたには想像もできないことです。私は、そのことをあなたにお知らせすべきかどうか随分迷いましたが、結局、書いてみることにしました。しかし、これを書きながらも、もしかすると、途中でペンをとめるかもしれない、たとえ、書き上げても、お手もとには届けないかもしれない、という気持がしきりと動いているのです。つまりは、この手紙は、半分は私自身のために書いているようなものだからであります。私自身の精神記録のために——そういう意味では、あなたの手もとに出すべきものではないかもしれません。しかし、ともかく、しばらくはあなたを対象に文章を綴《つづ》ってみることにいたします。

島根県能義《のぎ》郡布部《ふべ》村——というのが、私の父の黒井利一の生れ故郷です。布部村の安積《あさか》家といえば、昔から続いた豪農だそうで、戦後はさほどでもなくなったが、それでも、現在は一ばんの古い旧家として、知られているそうです。私の父、利一は明治二十八年、この安積家の本家に生れました。

八歳のとき他国に出た父は一度もこの生れ故郷である島根県に帰っていません。尤《もっと》も、父にはもう一つの故郷があるのです。それは同じ県の仁多《にた》郡屋神《やがみ》村です。ここは父の母、私にとっては祖母に当る国子が嫁に行ったところで、本来なら祖母は父をその須地《すち》家で生むはずでありました。

父の姓は須地でもなく、安積でもなく、黒井です。つまり、父は嬰児《えいじ》のときに黒井という家に養子に出されたのですが、この黒井は同じ能義郡の広瀬町にありました。従って、父が生命を享《う》けたのが屋神の須地家であり、この世の空気をはじめて吸ったのが安積家であり、育ったのが黒井家という、ちょっと複雑な関係になるわけです。もう少し具体的に云うと、祖母の国子は須地家で父を妊《みご》もり、生家の安積家に還《かえ》って生み、すぐに広瀬の黒井家に養子に出したことになります。父の利一は須地家の長男でありながら他家に出されたのです。

父が最後まで一度も郷里の島根県に帰らなかったのは、どういう気持からか、私には、どうも納得のゆかないところがあります。もともと、父の養家先の黒井家は、父が八歳のときに四国の宇和島《うわじま》に移住したので、父の生涯はほとんど宇和島で終りました。その上、父は幸運に恵まれず、貧乏のために島根県に帰る旅費も容易に都合がつかなかった状態でありました。

しかし、六十八歳まで生きていた父のことですから、その気になれば一度ぐらいは何とか都合をつけて故郷に帰れたと思います。

では、父は実際に故郷に帰りたくなかったのでしょうか。

決してそうではありません。父は幼い私によく郷里の出雲《いずも》の話をしてくれました。今でもおぼえているのですが、蒲団《ふとん》の中に父と一しょにくるまっていると、出雲の古い伝説や、故郷の景色などを熱を入れて私に話してくれるのです。それは父の幼時の思い出ですから、うろ覚えのところはあったが、語っている父の様子にはこの上なく懐《なつ》かしげなものがあり、ときには泪《なみだ》ぐんでいるときもありました。

しかし、父はどういうわけか、故郷の人間関係のことはあまり口にしませんでした。普通だったら、生家について思い出の人間が語られるはずですが、それがないのです。父の実際の父親は須地綾造といって、これが国子の夫です。養父は黒井治作といいます。また、国子は父を生んだのちに、男子と女子とを一人ずつ挙げたということです。父には見たこともない弟と妹があったわけです。これだけは、私は父からおぼろには聞かされていますが、それ以外の人間関係については、父は全く話そうとしませんでした。

ところで、この須地家というのは、島根県の奥地から採掘される砂鉄の工場を持っていたそうです。かなり手広くやっていたとは父の話ですが、それは、父の生れた時が明治二十八年だったことにも関連がありそうで、折からの日清《につしん》戦争がこの辺の砂鉄を大いに需《もと》めていたから父の記憶に強かったのでしょう。今度の戦争でも、ここから出た砂鋼で軍刀が作られたくらいですから、洋鋼の輸入の少なかった日清役の当時、この鉄鉱山は相当活況を呈していたように思われます。父の幼い記憶は、当時の見聞に依るのでしょう。

現在、この須地家というのは屋神村に残っていません。それは、父の後に生れた男の子（父の弟です）が当主になって、遊蕩《ゆうとう》に身を持ち崩し、家財を蕩尽《とうじん》して遂《つい》に土地を出奔したからであります。それを風の便りに耳にした父は、おれが跡を取っていたらな、などと洩《も》らしたことがありました。

「あんたは貧乏性じゃ。そんないい家に生れていながら、貧乏なところに養子にやられたのは、よっぽどの不運じゃ。見てみい、お父さんの耳の小さいことを」と母は私に指さしてよく云いました。実際、父はその肥えた顔に似合わず、耳だけは萎縮《いしゅく》したように貧弱でした。

父はこの四国に来ても、すること、なすことすべて失敗つづきで、職業を変えること十数種にも及んだのです。ですから、私自身は中学校をやっと出してもらうと、あとは土地の篤志家《とくしか》の援助で京都大学を卒業したくらいでした。

尤も、この父利一が須地家を継いだところで、果して砂鉄の鉱山を経営してゆけたかどうかは分りません。いや、あとで自分の商売に失敗しているところを見ると、恐らく駄目だったでしょう。それに、洋鋼が輸入されるようになって、砂鉄などというものは片隅に追いやられて世間から忘れられてしまったから、尚更《なおさら》です。

しかし、この辺に出る砂鉄の良質なことは古くから知られ、例の素戔嗚尊《すさのおのみこと》の八岐大蛇《やまたのおろち》退治の伝説になっています。大蛇の尻尾《しっぽ》から剣が出たことは、すなわち、この奥出雲地方が砂鉄の産地であることを象徴しているといわれています。そこから、草薙剣《くさなぎのつるぎ》のような名剣が出たのですから、父には、生家の須地家がひどく自慢でした。

しかし、それはあくまでも須地家という「家」であり、須地家の人々ではありませんでした。私は父が故郷を訪れない理由に彼の暗い出生の秘密があるような気がして、正面きって訊《たず》ね得なかったのであります。

父は七歳のときまでその母の生家である安積家に育ったので、能義郡布部村辺りのことはかなり詳しくおぼえていました。土地にはまだ安積家の分家が残っていることも知っていたが、そことも一通の文通があるではないのです。

とにかく、私には分らないことがいろいろあります。しかし、父の顔を見ると、どうにもその質問の言葉が口から出ず、そういう秘密を遂に知り得ないまま、私は父を失ってしまいました。

2

父の死後、私は、何度か奥出雲《おくいずも》地方の旅行を思い立ちましたが、いつもその計画は私の心から消えてしまいました。私も父と同じように、その郷里には足を入れないほうがいいのではないか、遠くからその山陰の奥の一角を眺めていたほうがよいのではないか、そのほうが父の心に添うのではないか、などといった気持がいつも湧《わ》いてくるからです。

ところが、去年の晩秋でした。私はちょうど新聞社の用事で米子《よなご》支局に出張する機会があって、つい何となく心のタブーとしていたあの地方に足を踏み入れてしまいました。

つい、タブーと書きましたが、むろん、私の心は、日ごろからそこに行ってみたい、そして、幼いころ父から話に聞いた土地の山川をこの眼で確かめてみたい、そういう意欲は大いに動いていたのです。だが、そこで父の暗い運命に触れるのが何となく怕《こわ》く、自分の気持の中でそれを禁忌のように抑えていたわけであります。

米子に用事を済ませたら、すぐそのまま帰京したいという私のほうの予定は、つい、米子から広瀬の町まで、軌道でも自動車でも三、四十分くらいだと聞かされると、つい、誘惑に負けて変更してしまいました。広瀬町から布部《ふべ》村まではほんのわずかな距離なのです。

私は社に二日間の休暇を電話で頼んで、米子に一泊し、あくる朝、早速、車で広瀬町に向いました。そのときの私の気持をご想像下さい。永年、抑えに抑えてきた自分の心をはじめて解放したのでした。

広瀬を車で通ったが、昔の面影のある小さな城下町でした。どのようにひなびた町でも、いつかは父がこの道を歩いたと思えば懐《なつ》かしくてなりませんでした。

布部村はそこを通りすぎて三十分で、村の入口が見えはじめると、この年になって恥ずかしながら、私の気持は少年のように弾んできました。

晩秋のことで、山野は枯れて、杉林だけが黒ずんだ茶色になっています。山の稜線《りょうせん》が両方から重なり合って落ちこんだ間に白い道が一本走り、それに沿って百姓家が点々と見えます。傍に川がありました。父が子供のころよく泳いだと話していたその川です。父の少年時代と同じ水がそこに湛《たた》えられているようにさえ私には思えるのでした。

村に特定郵便局があったので、そこで車を下り、内の局員に訊《き》いてみました。すると、安積《あさか》家では安積謙吉という人が一ばんの年寄で、いまも元気だということが分りました。だんだん聞くと、その人は本家ではなく、分家の当主のようでした。本家はとうに没落して、家族もどこかに引越し、跡かたもないということでした。つまり、父の母、私の祖母に当る国子の生家は今は無いわけであります。

安積謙吉は、六十九歳ということでした。してみると、父とは一つ上ということになるわけで、あるいは、父とは従兄弟《いとこ》同士ではないかと思いました。こんなことは局員には分らないので、私はまっすぐに教えられたその家を目指して車を走らせました。

その家は山の斜面にあって、この集落の中でも一際《ひときわ》大きそうに見えます。私は街道筋に沿った疎《まば》らな家の間から斜面を上り、安積家を訪ねました。

これから詳しく述べると長くなりますので、端折《はしょ》りますが、とにかく、当主の謙吉は紛れもなく父の従兄《いとこ》だったのです。私にとっては祖母に当る国子の弟が、この謙吉の父親でした。

私は暗い座敷に木像のように坐《すわ》って対《むか》い合っている謙吉の顔に、父の面影を探そうとしましたがそれは全く無駄でした。多分、従兄といっても、この謙吉には父系の血が濃かったのだろうと思います。

はじめ、老人は、私が利一の子だというと、まるで幽霊がきたようにおどろいていました。よく聞いてみると、この村にいる親戚《しんせき》中で、父利一のことは全く知られていないのです。

ただ、そういえば、そんな子がいたなあ、という年よりも、以前には、あったらしいのです。とにかく、私がいろいろと聞くので、謙吉老人は、かすかに記憶をよび起してくれ、ようやく次のようなことをぽつりぽつりと話しました。

「利一という子は、広瀬の町から、ときどきここに遊びにきていたが、いつの間にかこっちへ来んようになったなア」

それは、父が、五、六歳のころらしいのです。すでに六十数年も前のことだから、残念ながらこれくらいのことしか分らないのです。私は、彼からいろいろと話をひき出そうとしたが、老人の記憶はないようでした。ただ、次の言葉は重大でした。

「利一という子は、母親がこの布部の安積から、屋神の須地《すち》に嫁に行ったが、利一を妊《みご》ったとき、一旦《いったん》、須地家から離縁になってな。この布部の本家に帰っていたとき、利一を生んだようじゃ。それから間もなく、利一は広瀬の町に貰《もら》われて行ったが、こと広瀬とは近いけに、さっきも云ったように、その子は小さい時、ときどき本家に遊びにきよったがな……」

私は、この老人の口から、はじめて国子が、須地家から「離縁」になった、ことを知らされたのです。それまでは、国子が分娩《ぶんべん》のために、一時、実家に身をよせていたとばかり思いこんでいたのであります。

離縁、と聞いたとき、私はショックをうけました。すぐに、生れた利一が他家に養子に貰われて行った事実に結びつくからです。しかも、そのあとに、国子は、また婚家に戻っている。——

その間の事情については、もとよりこの老人は知っていませんでした。彼にしてもまだ七、八歳のころの出来事だからです。

父が広瀬からときどき本家に遊びに来ていたのに、いつの間にか来なくなったということも、私には哀《かな》しく聞えました。それは二通り解釈されそうです。一つは、父が子供心に自分の暗い出生を感じて、なんとなくこの布部村から足が遠ざかったと思えることと、黒井家が四国に居を移した時期に当っていたということです。

もし前の場合だったら、父の子供心が少しあわれであり、後の場合でも、それで故郷との縁が切れたのだからやはり同情されます。

私は、謙吉老人に、安積家と須地家との間に交際があったかと訊くと、老人は、それはなかったようだと答えました。これもちょっと奇妙なことで、安積家から国子が縁づいて行ったのだから、当然、両家は親類付合いとしての往来がなければなりません。老人の話で、両家の間の冷たさが想像されます。

私は謙吉老人の案内で、父の生家の跡に行って見たが、そこには後に出来たという縁もゆかりもない農家が建っていました。

しかし、そこから眺める布部村の風景は、父のころとは少しも違わないわけで、私は寝物語の中の風景と、眼前の現実とを見較《みくら》べて見ました。

父が登ったと思われる山もあれば、メダカをすくったという小川も流れています。また、父がひとりで遊びに行ったという神社も、山峡に細まった道の向うにあるはずです。道には、薪を背負った農婦がのろのろと歩いていて、その上に寒げな雲が積み重なっていました。

私は厚く礼を述べて安積家を出ました。老人はその嫁といっしょに車まで見送ってくれたが、実をいうと、彼らと私との間には、なんの連帯感もないわけです。血筋の上から云えば、この老人は私の従兄半《いとこはん》に当るのだが、そんな気持の欠片《かけら》すら私には起りませんでした。懐かしさもなければ喜びもないのです。あるのは、父の夢の中にあった風景に、いま私自身が足を踏み入れているという感動だけでした。

私は、このまま仁多《にた》郡の屋神村に行きたかったのですが、運転手はこの先から道が悪くなるといって尻込《しりご》みします。あとはけわしい山坂の峠道になるのだそうです。

「昔は、それでも人力車でここから中尾温泉まで行ったそうですがね」

「中尾温泉というと？」

「あの山脈を西に越した向う側です。そこから屋神村までは斐伊川《ひいがわ》沿いに三里です。人力車が自動車に代って、かえって不便になりましたよ」

運転手は笑って云いました。

国子は人力車であの山を越えて、この布部と屋神とを通ったこともあったと思われます。私には明治の古い俥《くるま》に揺られている丸髷《まるまげ》姿の若い祖母が眼に映るのです。峠は、あの辺りだと運転手に教えられた山嶺《さんれい》の上にも厚い雲が垂れ下っていました。

私は仕方がないので、一旦、米子に引返すことにしましたが、途中、広瀬の町で車を下りて見ました。

この町は父が養子に行った先の黒井家があったところです。もとより、その家が何処《どこ》だか分るはずもないのですが、自分ではこの辺りがそのような気がして、見当をつけました。別段、それと推定する材料もないのですが、そこの裏通りは、見すぼらしい家と農家とが入り混っていて、片側は竹藪《たけやぶ》や田圃《たんぼ》になっています。その狭い田圃の向うに低い連山があり、そこから見える大山《だいせん》は頂上を雲に隠していました。

大山といえば、父はよく云っていました。

「伯耆《ほうき》の大山はな。富士山よりも立派じゃ。高さは富士山ほどでもないが、因幡《いなば》や伯耆、出雲、三方から眺めて、これくらい立派な姿はないけんのう」

いま、その山を見ているうち、父の声が聞えてきます。

3

私は米子《よなご》から山陰線に乗って宍道《しんじ》に出ました。そこから奥地に木次《きすき》線が出ています。ご承知のように、この線は広島県に入って備後《びんご》落合で芸備線につながります。宍道の町を出て三時間ぐらいすると、出雲《いずも》八代《やしろ》という駅に着きます。屋神村はここからバスで一時間ぐらいの山地にあります。

絶えず線路に沿って流れている川は斐伊川《ひいがわ》といいますが、この村にもその分流が流れていました。

この川の流域に砂鉄が出て、現に汽車の窓から見ても、砂を採集するために崩れた裸の丘や、赤い崖《がけ》が荒涼とした風景を見せていました。昔はこの近所に無数の鑪《たたら》工場が並んでいたとは米子の支局で聞いた話ですが、その中の一つに須地《すち》家があったと思うと、私の眼は茶色の崖に思わず注がれてしまいます。

一体にこの辺は牛の産地で、すれ違った貨車を見ても牛が夥《おびただ》しく積まれていました。斐伊川の水蝕《すいしょく》によって、この辺一帯に高原や山麓《さんろく》盆地が出来ているので、牛の放牧に適しているのです。

砂鉄工場も今は残っているのがY製鋼所のものだけで、それも年間微々たる真砂銑鉄を産するだけだということでした。

私はここに来るまで、前もって米子から土地の村役場に電報して、砂鉄の歴史を知りたいから、それに詳しい人がいたら二、三人集めてもらえないか、と頼んでおきました。返事を貰《もら》う暇はなかったが、とかく地方の人は親切だし、また新聞社の用事だと思って必ず集まってくれるものと期待していました。

八代の駅前から、たった二台しかないハイヤーのうち一台を借りてきた私は、運転手にここが屋神の中心地だと聞かされて降りましたが、家数にして三十戸ばかりの農家が路《みち》の両側に細々と並んでいるにすぎませんでした。なかには雑貨屋のような店もあり、郵便局もあったが、とにかく、想像以上にひどい寒村なのです。

「昔は、大阪や堺《さかい》あたりの商人がここまで砂鉄の買出しに入り込んで、そのため宿場町さえ出来ていたほどですがね。今はご覧のように廃村同様です」

と運転手は教えてくれます。

「この辺に須地という鑪工場があったはずだが」

と私は訊《き》いたが、若い運転手にはむろん無い知識です。で、この辺でそんなことを一ばんよく知っている家はどこだと訊くと、やっぱり郵便局だと云《い》うのです。田舎では特定郵便局長が最大の文化人とみえます。

私はその郵便局をのぞきました。すると、局長はいま村役場に出かけたばかりだという局員の答えです。ここでは、書留も、為替も、貯金も、保険の扱いも全部一しょに一人がやっているようでした。

村役場に行ったのは私の頼んだ座談会の用事だろうと思い、すぐに車を馳《は》せて役場に向いました。

路の片側はかなり深い所に川が流れ、向い側はちょっとした台地になっているが、それが山の斜面に二、三段ぐらい積み上がっています。

地層学者の云う梨棚《なしだな》式段丘です。だが、それを除くと、他は急な斜面になり、ところどころ赤土の禿《は》げた所が露出していました。

私は村役場に着きました。後ろにやはり赧《あか》い崖が見えます。ここには雑貨屋、食料品店、肉屋などといった店もあります。戸数三十戸ばかりで、ちょっとした賑《にぎ》やかさです。

役場の人に名刺を出すと、待っていたようにその人は役場の横にある学校に連れて行き、校長室のような部屋に通しました。先着の三人と名刺を交換しましたが、その一人が特定郵便局の局長で、一人は退職した前助役、あとの一人はこの学校の二代前の校長ということでした。前助役も、前々校長も七十近く、局長は五十四、五歳と見えました。

私は、今度この地方のことを新聞に載せる予定で取材に来た（実は口実なのですが）と云い、集まってくれた三人の郷土史家に礼を述べ、私が、聞き役と司会者を兼ねて話をすすめました。三人とも郷土史家を以て任じているだけに、この地方の古代から現代に至るまでの歴史は相当詳しいようでした。

その席上で中心になったのは、やはり古代の出雲です。古くから出ていた砂鉄のことが話題になったが、私の聞きたいのは明治期にあった砂鉄工場の話です。

そこまで持っていくのに、かなり時間がかかったが、いよいよ私の望む話題に入りました。明治二十七、八年ごろのことです。

「あの頃の砂鉄工場は五つも六つもあったが、一ばん大きかったのは、やっぱり須地家だったな」

「そうだ、須地家が一ばん手広くやっていたようだ。尤《もっと》も、潰《つぶ》れるのも早いほうだったがのう」（笑）

「あれは後取りが駄目でね、すっかり家産を蕩尽《とうじん》してしまった。そこに砂鉄も不況となったから、二重にいけなくなったんじゃ」

――明治二十七、八年頃の当主の名前は何んと云っていましたか、と私は口を入れて訊きました。

「須地綾造さんと云うてな、なかなかのやり手じゃった。須地の鑪が一ばん大きゅうて、採掘人夫の納屋《なや》がずっと鉱山《やま》に並んでいたものじゃ」

「そういえば、その綾造さんの女房は、評判の別嬪《べっぴん》じゃったそうなのう」

「ああ、わしらも微《かす》かに憶《おぼ》えとるがな、あれは能義《のぎ》郡の布部《ふべ》から来とった」

「なんじゃそうだな、あの女房は、若いときに一度須地家から離縁になったちゅうじゃないか」

「そりゃ本当じゃ。わしも死んだ親父《おやじ》から、そんな話を聞いたことがある。あんな別嬪をどうして須地の旦那《だんな》が離縁したか分らんちゅうてな」

「あんときは、女房が子供を実家《さと》に産みに帰ったと聞いとったが」

「そうじゃ、うちの親父もそんなことを云うとったな。あのあとすぐにまた旦那、その女房を元に戻したから、何のことやら分らんと親父も云うとった」

これはその席の年寄たちの言葉ですが、話がここに来たときの私の胸中をお察し下さい。私は興奮で耳が遠くなりそうでした。

遂《つい》に、父の利一のことが、この人たちに語られるのです。それに、祖母の国子のことが対談の中心になっています。

「綾造さんの女房が布部に帰って産んだ子は、どうなったじゃろう？　こっちには連れてこなんだがなのう」

「そうじゃのう。そういえば、後取りはそのときの子じゃなかったな」

「なんでも、布部のほうで、ぜひ、その子が欲しいちゅうて取ったそうで、あの女房も仕方なしに置いて来たということじゃったが」

「そいじゃ、二番目に生れた男の子が須地の後嗣《あとつぎ》ということになるが、布部に貰われたその子があっちで大きくなったと聞いたことがないのう」

「うむ。なんでも、その子は、安積《あさか》の親戚《しんせき》が東京におって、そっちのほうに貰われたと聞いとる。それから消息がないけに、やっぱり村にはそれきり戻ってこなんじゃろう」

　私はそれを聞いて、布部の安積家が父を広瀬の黒井家に養子に出したのをこの辺には知れないようひた匿《かく》しに隠していると知りました。東京の親戚に出したというのがその隠蔽《いんぺい》工作です。

　私はここで、祖母の国子がなぜ須地家から一たん離縁になったのか、その辺が知りたくてなりませんでした。しかし、いま彼らの話を聞いていると、この人たちもその真相を知らないようです。不思議なことだと云い合っているのです。

　やはり、父の故郷には来てみるべきでした。ここに来てはじめて、父の半生を暗くした事情や、その母の国子の離縁のことが分ってきたのです。つまり、父の暗い生涯がそれからはじまったのです。

「そういえば、当時の須地は、日露戦争でもどえらい儲《もう》けをしたちゅうことだったがのう。あの頃は、軍人が盛んにこの鉱山にもやって来ていたということだが」

「そうじゃ。それは親父も話していた。だから、この辺は砂鉄景気で沸いとったちゅうことじゃった」

「つまり、ブームがあったわけだな」

「そのブームも、まもなく戦争が終ると同時に消えて、あとはどんどん安くて質のええ洋鋼が外国から入って来るけに、ここもどっと淋《さみ》しゅうなった。今まで手広くやっていた須地家が早く参ったのも、そのためじゃったのう」

「それでも、砂鉄は前から全国に知られていたぜ」

「そりゃそうや。この辺の砂鉄いうたら有名でな。そういえば、よく学者が来たじゃないか、調査にな」

「うむ。京都からも、東京からも来とったな。ほれ、東京の何とかいう偉い博士が若いとき、始終、この辺に来とったちゅうことじゃないか」

「ああ、あれは三浦健亮ちゅうてな、鉄や刀剣のほうで工学博士になったそうじゃ」

三浦健亮。——

このときまで、私はこの名前を知らないではありませんでした。いや、詳しいことは分らなくとも、有名な人だと知っていたのです。たしかに三浦健亮博士は明治の終りから大正にかけて鉱山学や刀剣の権威でありました。しかし、三浦博士がどのような業績を持っていたかということに至っては、門外漢である私には何も分っていません。ただ、名前を知っているという漠然とした常識しかなかったのです。

4

三浦博士が、若いころこの屋神の砂鉄工場にたびたび来たとは、はじめて聞く話でした。

――それはいつ頃でしょうか、と私は座談会の人たちに訊《き》きました。

「そうじゃのう、あれは明治二十五、六年頃からということじゃったが、どうだな、あんたがた知っとるかな？」

「いや、くわしゅうは知らんが、その頃かもしれん。なんでも、日清《にっしん》戦争が済んだ頃には、もう、三浦さんだけはこんようになったちゅうからのう」

「そんなら四、五年ぐらいの間かな。けど、たったそれだけしか通ってこないのに、よう砂鉄のほうの研究で、博士になったもんじゃのう」

「砂鉄はここばかりじゃないけんのう。奥州《おうしゅう》のほうの鉱山も歩いたらしいけんな」

「ほれ、郵便局の先代局長がこの土地のことを書くとき、三浦博士に当時のことを訊くため問い合せの手紙を何度も出したが、博士からは一度も返事がこんじゃったそうじゃな。のう、局長？」

「うむ。そう聞いとる」

「まあ、今は学者ちゅうても、ここまでは誰もようこんけんのう。せいぜい、米子《よなご》にあるY製鋼所の砂鉄博物館に見学に来るのが関の山じゃ」

座談会はこれからまだつづきますが、私にはこの部分だけが重要でした。あとはどっちでもいいのです。また、この手紙に採録するのもこの部分だけで十分です。

私は、以上のことから、あなたの祖父の三浦健亮博士が、明治二十五、六年から日清戦争のあった七、八年の頃まで、屋神の砂鉄を調査に来ていたことを知ったわけです。そして、なおも彼らの話を補足すると、三浦博士は、主として須地《すち》家に泊ったと思われる節があるのです。それは、須地家がこの辺で一ばん大きな鉱山を持っていたことと、その家が一ばん広かったということで推定がつきます。

国子が利一を産んだのは明治二十八年です。父の戸籍を見ると、明治二十八年二月二十日生となっています。もし、この記載が正しいなら、国子が利一を孕《はら》んだのは前年の二十七年四月ということになります。

この辺は冬になると雪で閉ざされてしまいます。十二月の半ばになると、もう雪がちらつきはじめ、それが積って根雪となり、三月の末までは解けないのです。これは一つの重要な鍵《かぎ》だと思います。

なぜそれが鍵かということは、もう少しあとを読んで頂きとう存じます。

私があなたのご祖父三浦健亮博士の著書を探しはじめたのは、この山陰旅行より帰京してからです。

私には無縁な鉱山学の、殊《こと》にその中の鉄に関する著書をできるだけ多く集めました。しかし、私を失望させたのは、そのどれもが、当然のことながら学問だけの内容で、少しも私の参考にはならなかったことです。

私は、また博士の「刀剣」の著書も集めてよみました。集めるといっても、数は少なく、全部で三冊くらいでしたが、これにも私の探すものはないのです。

私は、一体、何を求めていたのでしょうか。それは博士の文章の中に、島根県の須地家が出ていないか、出ていればそれはどのように書かれているか、それを知りたかったのです。ただし、著書にはその部分が全く無いわけではありません。例えば、

《島根県仁多《にた》郡の斐伊《ひい》川《がわ》流域は、古来、砂鉄の産地として有名である。現在は、真砂銑鉄工場が、同郡屋神村を中心に無数に集中しているが、銑鉄方法としては昔ながらの鑪《たたら》法によっている。そのため、全工場を合わせても年産八十噸《トン》にも達しない》

といったような記述です。

それでも私は、健亮博士がここに「屋神村」と原稿用紙に書いたとき、胸の中にどのような感慨が起っていたか、ひそかに想像するのでした。

それらの著書の中には、巻頭に健亮博士の写真が付けられたのもありました。それは多分、四十七、八歳から五十歳くらいの間のものと思われ、頭髪はようやく薄くなり、眼の下にもたるんだ皮が見られます。眼は大きいほうだが、眉《まゆ》はうすいようです。鼻梁《びりよう》は立派なくらいまっすぐに徹《とお》っていて、少し厚めの唇が、きりっと両端にちょっと力んだ具合で結ばれていました。鼻の両脇《りようわき》には、深くなりかけた皺《しわ》が入っていました。全体に肥《ふと》った感じですが、若いときはもっと痩《や》せておられたかも分りません。

なぜ、私は三浦健亮工学博士の若いときの顔を想像しているのでしょうか。実際、このようやく初老に近づきかけている顔を、私は二十二、三歳くらいのころにまで引き戻してイメージをつくっていました。この頃に、博士が砂鉄の研究に屋神村に入りこんでいたからであります。

私は、健亮博士に旅に関する随筆集が出ていることを他から知らされました。古本屋を探しても無いので、図書館に行ってやっと読む機会を得ました。

それは、博士が若いころから、南は九州から、北は北海道、樺太《からふと》まで、さらに朝鮮、満州に鉄鉱を求めて旅した記録でした。

私は心を踊らせて、その本を繙《ひもと》きました。ところが、何たることか、出雲《いずも》の屋神村のことはその本に一行も出ていないのです。私は呆然《ぼうぜん》としました。著者にとって、この奥出雲の屋神地方の旅こそ、若いころの砂鉄調査で心に残っているべきではなかったでしょうか。

東北地方も、北海道も、樺太も、朝鮮、満州も、鉄の研究に関しては大事な所かも分りません。だが、その多くは、博士の中年期の調査活動で、若いときの調査はほとんど奥出雲だったと思います。随筆に書くなら、この思い出のある土地こそ絶好の材料ではなかったでしょうか。そこから博士は出発したのですから、さまざまな感慨があるはずです。

この旅の文集に出雲だけが外されているのは、不合理というよりも、私には故意に博士が除外したとしか思えないのです。

その理由は何でしょうか。

ここで、座談会のときに出てくれた土地の年寄の話の一つが泛《うか》びます。つまり、郵便局長の先代が郷土史のことを書くにあたって、三浦健亮博士に何度も手紙を出したが、一度も返事がなかったという一節です。

博士は忙しかったため、それに返事を出さなかったのかもしれません。また、尋ねてきた事項があまりに取るにも足らぬことだったので、返事を書く気が起らなかったのかもしれません。

しかし、私にはそれ以上の何かが博士の回答を渋らせたと思えるのです。

私は、健亮博士の子息、つまり、あなたにとっては厳父健爾氏の写真を何とかして、ぜひ見たくなりました。もし、厳父が祖父健亮博士の面影に生写しだったとしたら、——私は一目でもそれを確かめたかったのです。

私は社の調査部に行き三浦家の写真を探しましたが、健亮博士の写真はあっても、厳父のものは保存袋にありませんでした。厳父はつつましい人生を歩かれたとみえて、新聞社の保存写真の中に収められるようなお人柄ではなかったのです。しかし、「三浦」の項を探しているうち、思いがけなくあなたの写真が出て来たのであります。古代染色の権威であり、大学教授、文化財保護委員としての三浦健庸氏です。

それで私がつくづくと見たのは、健亮博士の孫に当るあなたの顔でした。私は、改めて、そこから何ものかの面影を探ったのです。

失礼ですが、似ていらっしゃいます。私の求めている幻影があなたの顔写真にありありと出ているのです。どんなに懐《なつ》かしかったか分りません。きっと、あなたは厳父の面影をそのまま享《う》けられたと思うのであります。

ここまで申上げると、もう私の云《い》わんとすることは十分にお分りのことと思います。しかし、蛇足を付け加えさせていただきます。

――私の父の利一は、なぜ須地家で生れなくて、安積《あさか》家で生れたのでしょうか。国子が、須地家から離縁されて帰されていたときです。明治二十八年二月でした。

あなたのご祖父の健亮氏が、砂鉄の研究のため、屋神村に入ってこられたのは二十五、六年ごろだと推定されます。いつも逗留《とうりゅう》されるのは須地家でした。そこには、近村でも美人で評判の若妻国子がいました。古い語でいえば、鄙《ひな》に稀《まれ》な、という形容になるでしょうか。当主の綾造の妻として、彼女が逗留客である健亮氏のお世話をしていたと考えても不思議はないでしょう。

国子の健亮氏に対する好意が、どのようなかたちをとって変化したかを明確に云うことはできませんが、国子の夫が彼女の妊娠と同時に離縁を申し渡した事実で一つの想像がつくと思います。利一は二十七年の四月に国子の腹に入りましたが、このひと月前は、奥山陰の雪が解けて、他国の人がこの地方に入ってくる季節でもあります。つまり、東京から健亮氏も来ていたと思われます。

国子の夫の綾造が妊娠と同時に妻を離縁したのは、彼がそれだけの理由を妻と健亮氏との間に見たからだと思われます。或《あ》るいは、もっと強い証拠があったのかもしれません。国子はおとなしく布部《ふべ》の生家の安積に帰りました。

恐らく、健亮氏も、このときを最後に屋神村を引き揚げ、それ以来、二度と同地を訪れなかったことと思います。後年になって、その著書に屋神村のことを詳しく記さなかったことも、地元の問い合せに返事を与えなかったことも、旅の思い出に屋神村を除外したことも、この理由によって初めて納得がゆきます。

　国子は布部の実家で男の子を生みました。その顔は、夫の綾造に似たところはなく、或る人に生き写しだったと想像されます。いや、そう確信していいのです。というのは、私の父利一と、あなたとがとてもよく似ていらっしゃるからです。

　あなたのお父さんのお顔は写真がないので分りませんが、やはり健亮博士に似ていたと思われます。孫であるあなたが健亮氏にそっくりですから。

　私の父の利一も健亮氏の顔によく似ているのです。眉、眼、鼻、口、それぞれの部分的な特徴は異《ちが》いますが、全体の感じがそっくりなのです。

　以上によって、私は、父の利一が、あなたのお父さんの健爾氏と兄弟であったと信じるのです。腹は異いますが、三浦健亮という同じ父を持った同胞《はらから》だと思うのです。私の父が、あなたのお父さんの健爾氏より六つ年上です。

　事実をかくしながら、あなたに遇《あ》った私は、あなたが懐かしくてなりませんでした。あなたはご存知ないのですが、私たちは従兄弟《いとこ》どうしに当るのです。

　あの応接間に飾られてある健亮博士の礼服姿の肖像画に、私の眼がしばしば奪われたのも無理はありません。私にとっても祖父だからです。恋しくないとどうしていえましょうか。

父の利一はこの事実を生涯知り得ないで死にました。

「不義の子」として母国子の実家で生れ、そのまま貧乏な黒井家に貰《もら》われて行ったのであります。明治の話です。この養父は、或いは、うすうす事情を知っていて幼児を引取ったのかもしれません。

それでも、父は八歳のころまで、広瀬から布部の母の実家《さと》に遊びに行っていました。ですから、利一は、養父母から実際の生家を教えられていたのでしょう。しかし、子供心に、暗い事情を感じて、やがて生家からも、布部からも足を遠ざけたと思うのです。父の幼時を知っている安積謙吉にそのおぼろな記憶があります。

しかし、私は疑問に思うのですが、利一は広瀬から布部の安積家にただ遊びに来ていただけでしょうか。広瀬と布部とは約二里ほどあります。七、八歳の子供が遊びに来るにしては少し遠いように思われます。尤《もつと》も、田舎の子供は都会の子供と違って遠い路《みち》には馴《な》れていますが、それにしてもこの年齢《とし》では無理なように思われます。

利一は自分勝手に布部の安積家に来たのではなく、誰かがこの子を連れて来たのではないでしょうか。私にはどうもそう思われます。

もし、そうだとすると、それは安積家から使いが黒井に行って、利一の養父母に事情を話し、子供を借りたのではないかと思われます。

ここで、養父の黒井がひどく貧乏であったことに思い当ります。安積家は当時は布部で一ばんの豪農でした。つまり、家の格式も、財産も、黒井とはずっと違うのです。そういう家から貧乏な黒井に利一を出したこと自体、彼の暗い出生の秘密があるのですが、同時に、この貧富の差が、安積家から黒井の養父に相当な金が渡されていたのではないかという想像になります。

そうなると、安積家が黒井から利一を借りにくるのも権柄《けんぺい》ずくだったのではないか。私にはどうもそう考えられます。

それは安積家の当主が孫の顔を見たいという気持もあったでしょうが、それよりも利一に会いたい別な人がいたからだと思います。

むろん、国子です。

国子は利一を産んでから、また須地家に復縁しています。

この辺の事情が私にはよく分らないが、おそらく、須地綾造は一たん妻の国子を離縁したものの、彼女に未練があり、再び自分の家に迎え入れたのではないでしょうか。〝罪の子〟である利一を赤の他人に貰い子に出したことで、須地綾造に一つの処置が済んだという段落感があったと思われます。

国子はその辺では評判の美しい女だったので、離縁した夫は再び彼女を求めたと思います。復縁してからの国子が、夫との間に男の子と女の子を産んだことは、前に書いた通りであります。

さて、国子は屋神の須地家に戻ったものの、彼女にとって一ばん気にかかるのは利一でしょう。この不幸な子が貧乏な黒井家でどのように苦労しているか、いつも悩んでいたと思われます。なんとかしてそっと利一に会って顔を見たい、そういう衝動が抑えきれず、国子は生家に帰るたびに、そっと利一を布部に呼び寄せさせて会っていたのではないでしょうか。

私は、父がその頃のことを微《かす》かに憶《おぼ》えているようにも考えます。もとより、それが自分の母だとは知らされていないが、布部の安積に遊びに行くたびに、きれいなおばさんが一日じゅう可愛《かわい》がってくれたことをかすかに知っていると思います。

だが、父はそのことを一度も私に話したことはありません。父は、記憶のいいほうでしたが、安積の人間関係には全然ふれないのでした。父もあのときのおばさんが自分の本当の母親だと知っていたように思います。父が安積家のことをあまり云いたがらなかったことが、かえってこの想像を強めるのです。

私の眼の前には一つの情景が漂っています。それは、屋神と布部の間に横たわっている険しい山坂の峠を、人力車に乗って往復する国子の姿です。淋《さみ》しい山路を、丸髷《まるまげ》の婦人が一人で俥《くるま》の上に揺られています。――

彼女は朝早く屋神を発《た》ち、三時間ぐらいかかって布部に着きます。そこには生家で朝から呼んでおいた利一が来ています。一日中、国子はこの子を放さなかったでしょう。屋神から持って来た菓子や玩具《おもちゃ》などの土産物はこのときのために買っておいたものです。

同時に国子は、この利一の父親である人の面影を偲《しの》んでいたに違いありません。彼は、もう二度とこの地にはくることのない人です。国子が利一に会いに来るのは、わが子の顔見たさと、三浦健亮という恋人の思い出に浸るためだったと考えても、不自然ではないと思われます。

彼女は、おそらく、その日一ぱい生家に遊んでいたことと思います。そのうち日がくれかける。生家のほうでは早く屋神に帰れとすすめている。しかし、国子はぐずぐずしている。そういう場面が私の空想に泛んで来るのです。

国子は到頭思い切って待たせてある俥に乗ります。門口まで見送っている利一を振返り振返りして峠のほうに帰って行きます。

利一は、その丸髷を結ったきれいなおばさんの人力車が、白い細い路を次第に小さくなってゆくのを、いつまでも門口に立って見送っているのです。昏《く》れかかる山村の夕靄《ゆうもや》の中に、一台の人力車が遠く消えて行きます。——

人力車はまた三里の山坂を越えて屋神に帰りますが、その頃になるとあたりは暗くなっています。山峡の日暮れは早く、俥夫《しゃふ》は途中で提灯《ちょうちん》に灯をつけます。その灯が夜の山路にただ一つだけ浮んで走っている。……そういう情景も私は想像します。

父は間もなく養家の黒井夫婦について四国に渡ることになりました。父が自分の本当の母親は須地国子であると知ったのは、いつ頃のことか分りません。思うに、それは養父母のどちらかが最後に父に打明けたことと思います。しかし、すでにその時は四国の西の町に住んでいたので、父は出雲《いずも》の母に会いに行くこともできませんでした。あるいは、その打明けられた時期が母の死んだのちだということも考えられます。私は今度屋神村に行ったとき、村役場で須地家の戸籍簿を閲覧しました。国子の歿年《ぼつねん》は明治四十年三月十一日でした。享年《きょうねん》三十三歳。利一、十三歳のときに当ります。

父が奥出雲に関心を持ったのは、それからだと思います。須地家が砂鉄の工場を持っていたことも同時に養父母のどちらかに聞かされたに違いありませんから、父の意識は絶えず地図上の屋神村の一角に向っていたと思います。

国子は死ぬまで、再び会うことのない四国の涯《はて》のわが子のことが心に疼《うず》いていたと思われます。だが、この母子はすでにどうしようもなかったのです。

私の父は何かの機会に、三浦健亮という名前を新聞か雑誌の上で見たことはあると思います。

だが、鉱山学の権威である三浦工学博士の活字を見ても、父には無縁でした。おそらく、黒井夫婦も利一の本当の父が何者であるかは知っていなかったと思われます。父は、故郷への劣弱感を心の隅に一生抱いていただけでした。――

さて、ここまで書いてきて、過日の訪問の際、私があなたに質問したことを付け加えておかなければなりません。

お宅をお暇《いとま》するときに、

「健亮博士のお墓はどちらにございますか?」

と私がお訊《き》きしましたね。あなたは、

「多磨墓地にありますよ。場所はこういうところです」

と云《い》って、その区劃《くかく》の番号まで教えてくれました。恐らく新聞記者に対して、単純な気持で云われたのだと思います。

私は、そのときは実際に多磨墓地のお祖父《じい》さんの墓に詣《まい》るつもりでした。も早、私もお祖父さんと呼ばせていただいていいのではないかと思います。あなたは直系だが、私にしても同じ血のつながる祖父です。

　ただ、あなたがたは大そう恵まれた家庭におられました。あなたのお父さんもそうだし、あなたも同じです。おそらく、あなたのお父さんの境涯は、私の父のそれとは比較にならぬほど裕福な生活であったと思います。私の父は四国の西端の町で貧乏に苦しみ、他人《ひと》の蔑視《べっし》を受けていましたが、あなたのお父さんは何不自由なく育てられ、ちゃんとした学業を終えられ、三浦健亮博士の御子息として世間の尊敬を受けられたと思います。……同じ子でありながら、これだけの相違があったのです。

　またあなたにしても古代染色という学問に進まれて、そのほうで名を成されましたが、これとても、才能を別にして、やはりお父さん譲りの豊かな経済生活が背景にあったからだと思います。私の場合は、この手紙の冒頭に書きました通り、やっと中学を卒業させてもらうと、あとは他人の援助に俟《ま》たなければ大学に進めませんでした。これが現在もつづいて、あなたはとにかく一方面の学問で世に出ておられるのに、私はしがない新聞記者にしかすぎません。

　しかし、こう云ったからといって、私はべつにあなたと、あなたのお父さんに恨みつらみを述べているわけではありません。そういう気持は毛頭無いのです。ただ、健亮氏の同じ子でありながら、境涯の違いが、一人は恵まれた環境に置かれ、一人は卑屈感と貧乏とに塗《まみ》れて一生を過さなければならなかったという運命的なことを云いたかったのです。

とはいえ、私にとっては健亮博士は紛れもなく祖父です。肉親として思慕の情が起らないわけはありません。私はお宅を出ると、多磨墓地に向いました。

京王線の電車の窓から墓地を囲む武蔵野《むさしの》の木立が見えはじめたとき、ふいと、私の気持の中にはそれまでになかった複雑なものが起ってきたのであります。

電車を降りて、やがて墓地に足を踏み入れたとき、それがどうにもならない感情に育って来ていました。私の片手には、あなたからきいた三浦健亮博士の墓地の番号があります。管理所に寄って、その位置をたしかめ、教えられた方向に歩いたのですが、両側に一列に無数に並んでいる墓を見て行くうち、私はもうどうにもやりきれない気持になってしまいました。いま、自分の父を一生暗い運命に陥《おとし》いれた一人の男を訪ねているのだ、という気がしてきたのです。すると、も早、祖父の面影は消えて無く、そこには父を追った憎いひとりの男しか残っていませんでした。

この人のために生れ故郷に一度も帰ることのできなかった父を思うと、私は途中から足を回してしまったのです。そして霊園を出てとぼとぼと歩いているうち、私の掌の中で皺《しわ》だらけになった墓地番号の紙片を、指先で細かく、細かく破り棄《す》てました。

……

結婚式

一

ホールに立てた金屏風《きんびょうぶ》を背にして、花婿《はなむこ》・花嫁は、少しうなだれて立っていた。花婿のそばでは、仲人《なこうど》が客に新夫婦の紹介をしていた。仲人は、自分の演説にユーモアを混ぜるつもりか、時折り、わざと滑稽《こっけい》なことを交えた。多分、前夜から、その文句を考え抜いていたのであろう。客は、その個所になると、お義理に少し笑った。私はそれを聴いて、早く仲人の紹介の辞が終ればいいと思っていた。このあと、次々に、テーブル・スピーチがつづくに違いない。それを聴くだけでもかなりな時間を要する。

私の指定された席は、そのメーン・テーブルを正面に見る所だった。新郎は少し痩《や》せ、花嫁は少し肥えていた。薄い紗《しゃ》の垂れた花嫁の顔は、この広いホールの上に吊《つ》り下がっている見事なシャンデリアを装飾にしてこよなく美人に見えた。

マイクを前に据えた、半分白髪の上品な仲人は、まだ長々と挨拶《あいさつ》をつづけている。私が仲人の挨拶が早く終ればいいと思うのは、なにもその演説が下手なせいではない。また、それが終ってからの長いスピーチを怖《おそ》れているのは、私にあとの用事が控えているためでもない。実は、婚礼披露の席に招かれるたびに、いつも、式の終了を早く願いたいような気持が心のどこかに起るのである。

仲人や客は、決って新郎のつぎに新婦を賞《ほ》めあげる。その言葉を聴いていると、新婦には「過去」が全く無く、現在、「純真な」ままにこの結婚を迎えたようにとれる。今、私が見ているこの新婦に限らず、このような席に呼ばれると、仲人の言葉とは反対に私は何かこちらで勝手な空想をするのであった。むろん礼を失した想像なのだが、新郎新婦の顔を見ていると、何かしら一種の危惧《きぐ》に似た気持が起るのである。これはいつものことだった。

近ごろは、婚礼シーズンというのか、こういう席に呼ばれる機会が多い。たいてい辞退するのだが、今夜のようにどうしても出なければならない席もある。私は、いつも虚心にその席にすわり、もし知り合いの者が同席していたら、雑談に身を入れようと思うのだが、どうにもこの挨拶の間というものはやりきれない。

それを想《おも》うまいと考えても、やはりあのことは、仲人や客の長々しい挨拶を聴いているうちは抑えることができない。

それは、もう三年も前になるが、私の友人の新田徹吉のことである。

私はある新聞社の広告部次長だが、その新田徹吉というのは前の同僚だった。

そのとき、新田徹吉も私も入社してから十二年経《た》っていた。新田が社を辞めたのは私と同じ三十六歳のときである。

新田は頭のいい男だった。その点、私などは彼の才知には及ばない。酒もあまり飲まず道楽もなかった。

同じ係長と云《い》っても、彼の方がずっと右翼のポストだった。

彼が退社したのは、新しく広告取扱店を起したいという動機からだった。

初め、その相談に乗ったのは私であった。新田は、いつまで社にいても終着駅は知れている、停年になってうろうろしても始まらない、というのだ。

新田は外務方面を担当していたから、取扱店の営業内容に詳しく、自然とそのウマ味も知っていたのであろう。それに、彼がその仕事を新しく始めるなら資本を出してもいいといってくれる金主が付いているということだった。

働きざかりの年齢だし、広告部員として十年の経験もあって、事情は分っているし、もし金さえあれば、彼ほどの仕事ぶりならそれは成功するように私にも思えた。

もっとも、彼にしても心を決めるまでにはかなり悩んだらしい。私に相談したのは、すでに決心をつけてのうえのことだが、それでも、自分のその決心をさらに固めるために、いわば安心のために、私に相談したのである。

私は彼のために、それに賛成した。彼はそれを聴いてすこぶる安堵《あんど》したようだが、なんといっても失敗したときのことを考えると、さすがにふん切りは容易でないようだった。新聞社に勤めていさえすれば、在職中はまずまず生活が保障されているが、商売を始めて失敗となると、女房を路頭にも迷わせかねないのである。

その新田の妻というのは、私もよく知っているが、一口に云ってよく出来た女性だった。容貌《ようぼう》の点は、新田がいつも卑下するほどではないにしても、それほど美人ではなかった。だが、新田に最も親しい私は、彼の家庭にもよく遊びに行き、そのたびに、彼の妻の性格の明るさには感心していた。

新田からその相談を受けて間もなく、私は彼の家に遊びに行ったことがあった。それは、新田が何かの用事で外出していたか、ちょっと席を外していたかだったが、私と細君と二人だけになると、彼女は私に訊《き》いた。

「吉村さん、今度、新田は社を辞めて、広告の扱店をやりたいと云っていますが、お聴きですか?」

細君は名前を元子と云ったが、なんでも両親は関西の人だとかで、彼女にも多少そ

よ」

「ええ、ぼくも相談を受けましたが、いい話だと思いますね。ぼくは賛成しました

の訛《なま》りがあった。

私が云うと、細君の元子は少し眉《まゆ》を開いたようだった。

「新田は、前からそれを考えていたんですよ。わたしは、新田の考えがまちがってい

ないと思ったので、賛成していました。でも、もし新田が気持だけ高くて腕が伴わな

かったら、出来ない話だと思って、実は心配していたんです。吉村さんがそうおっし

ゃれば、わたしも安心しましたわ」

細君はそう云った。

「それに、今度、新田に資本を出して下さるお方は、親切からですけれど、相当な利

の金なんです。ご好意はありがたいんですが、そんなことを考えると、やはりわたし

も賛成しておきながらも心では迷っていました」

細君の不安はもっともだった。だれしも安泰な会社を辞めて独立の商売をやろうと

いうのは冒険である。だが、新田は、もし途中で商売に行き詰ったり困難に出会った

りしても、この細君がいれば、先《ま》ず大丈夫だろうと、私は思ったのである。それほど

彼女は賢かった。

新田は広告扱店を始めたといっても、自分のいた新聞社の専属になったのではない。それは以前からの特約店が厳然としてあるので、割り込む隙《すき》はなかった。また、大きな広告扱店は幾つもあり、その下に群小の扱店があるので、新規に始めた彼の商売は、やはり、彼が予想したようにすべり出しは困難であった。

最初、新田はある大きな扱店の下請けのようなことから始めた。

彼は、しかし屈しなかった。懸命な努力をした。なんといっても新聞社にいたという強みもあり、大きな扱店の幹部にも顔を売っていたので、永い期間を経ると、彼の努力も少しずつ実を結んだ。

だが、成績は上がっても金繰りは苦しかった。新田が危機に陥ると、細君は関西に走っては、親元からかなりの金を引き出した。聞くところによると、もう父親はなく、実家は姉婿の代になっていた。勝ち気な彼女がその実家から金を引き出してくるのは、相当な苦痛であったに違いない。しかし、彼女は捨身になって夫に協力した。

帳簿類の記帳も受け持ったし、新聞社や広告主の所にも行ったし、大きな扱店の交渉にも行った。また、集金にも駆けずり回った。

とにかく、このような夫婦の苦労があって、新田は、五年後にはようやく下請けをしなくても済むような一人前の広告扱店になっていた。

この期間、私は新田夫婦と絶えずつき合っていたから、その裏側はほとんど知っていた。

だから、五年後の新田の成功は、彼自身というよりも細君の元子のために喜んだくらいだった。

それからさらに五年経つと、新田は、まず中位の広告扱店としては押しも押されもせぬ地位になっていた。彼は、それまで、汚ないビルの内のよその事務所の三分の一ぐらいを衝立《ついたて》で仕切って借りていたような状態だったが、今では、きれいなビルのかなり広い一部屋を占領し、社員も、外交員や内勤の者を合わせて二十人ぐらいを使うような身になっていた。

二

広告扱店という商売は、軌道に乗るとしめたものである。

この営業で一番こわいのは、広告主に貸し付けた金が焦《こ》げつきになることだった。新聞社への払い込みは容赦はないから、どうしてもその間の金繰りが苦しく、うかうかすると商売の命取りとなる。

その危険率を見てマージンも相当大きく、たいてい二割ぐらいの払い戻しがあった。

得意が固定し、また各新聞社側にも信用がつくと、スペースも融通が利《き》く。新田は次第にその有利なコースに乗り始めた。

「もう、大丈夫だね」

私は遊びに行くたびに、すでに社長室みたいな所にいる彼に云《い》った。

「いや、おかげさまだよ。実はね、君だから話すが、一時はどうなることかと思ったことがあるよ」

と述懐するのだった。

その苦労は、彼から詳しく聴かなくても、私には内情が分るし、これまで実際に見たり聞いたりもした。

「こうなるには、やはり半分は君の奥さんの功績だね」

と私が云うと、彼もうなずいて、

「実はそうなんだよ。あいつがいなかったら、金繰りの途《みち》も枯れ果てて、今ごろは、ぼそぼそとどこかの外交員に使われて、注文取りに軒先を歩いていたかも知れないね」

と、彼も細君の内助を認めていた。

社員時代とは違い、すでに、新田は独立した広告扱店主になっていて、事務所と自宅は別々だから、私は以前のように彼の細君の元子に会うことはめったになかった。それでも、私が彼の事務所にふらりと出かけたときには、ときたま、元子が来合せていることもあった。

「新田君も成功で、あなたもやれやれですね」

と云うと、元子は眼を細め、鼻に皺《しわ》を寄せてうれしそうに笑うのだった。彼女の笑い顔は、だれにでも好感を持たせる特徴があった。

「おかげさまですわ。あのとき、吉村さんが止《や》めた方がいいとおっしゃったら、こんなにならなかったかも知れませんわね」

と如才がなかった。

決して私のせいではない。あのとき私が制しても、新田は必ず退社に踏み切って、新生活に飛び込んだであろう。

だが、元子の私への感謝は、そのままには受け取れなくても、その幾分は真実のように私はうぬぼれた。あのとき、元子が心配そうに私に決心の良否を訊《き》いた顔は、真剣そのものだったのである。

「ともかくも大成功でおめでとう。あなたもこれで安心ですね」

と私は成功を祝ったものだった。

新田は、田園調布に古い屋敷を買い受け、それを崩してモダンな家を建てていた。彼は銀座の事務所に通うのに自家用車で通っていた。

私は彼の成功を羨《うらや》ましいとは思ったが、しかし、新田だからその成功が出来たのだと思った。私には能力がないし、また、それほどの金を工面する当てもない。女房はただただ私に寄りすがるのみで、新田の細君ほどの才覚もなかった。私はただ社に永くいるというだけの理由で、ようやく次長になったことで満足せねばならなかった。

人間、成功すると違ったもので、新田の細君の元子は前よりずっと気品が出てきた。彼女には、元々その実家が良いせいか、そんな上品なところがあった。おっとりとしていて、それでいながらやはり関西の人間らしく、いい意味での経済家であった。この点では、頭がいいと云われている新田も彼女には及ばないと私は思っている。新田の成功は、半分はこの細君の元子がいたから出来たのである。

ときどき事務所に来る元子は、社員にも愛嬌《あいきょう》がいいし、自分がやって来ただけに仕事の方にも明るく、要所要所に気を配っているようだった。だが、決して差し出がましいことはせず、皆の前では控え目だった。

それだけに、新田の広告社に働いている社員たちは、新田がいるときよりも奥さんが来たときの方が怖《こわ》い、と蔭口《かげぐち》をするくらいだった。しかし、それは決して元子を悪口するのではなく、よく出来た奥さんだ、と皆は賞《ほ》めていた。

新田は次第に金も出来、ひまも出来た。

「おい、気を付けろよ。そろそろ、この辺から女道楽をだれでも始めるようになるからな」

と私は冗談めかして云うことがあった。

「なあに、おれは大丈夫だよ」

と新田は笑った。

「そりゃ、ときどき、つき合いで浮気をすることはあるがね、特定の女は今までも持ったことはないし、これからも持とうとは思わない。元子のやつがね、君も知ってる通り、ちょっとおれには過ぎた女房なんだ。これまでの成功を考えると、あいつを裏切ることは出来ない。まあ、つき合いの上の、時たまの浮気ぐらいは、許してもらうさ」

実際、新田は、その方面は割りと堅かった。だから彼が商売上で交際して一夜の浮気をすると云うが、それも今では四十七、八歳の店主としては、一種の見栄《みえ》みたいに思えた。本当に彼の言葉どおりかどうかは分らなかった。

彼の店には、女事務員が四、五人はいつもいた。受付や計算係や記帳係は、大てい女の子を使っていた。

私は、新聞社のひまなときに、よく彼の店に油を売りに行くが、女事務員たちはときどき替った。それも、ちょっときれいだな、と思っている子はすぐに辞め、あまり魅力のない子は残っていた。

「あれ、また替ったね。この間、計算係にいた子は、ちょっといける子じゃなかったか?」

と云うと、彼は笑って、

「君も油断のならない男だね。そういうやつがうろうろするから、早いとこ、あの娘は嫁にやったよ」

と答えた。まさか、彼が親代りになって嫁にやったわけではあるまいが、とにかく、そんな云い方をするほど、自分の所に使っている女事務員には歯牙《しが》にもかけていないようだった。

そんな具合で、彼の商売はいよいよ繁盛《はんじょう》に向った。今では、彼の特約している新聞社は、中央紙や地方紙を合わせて相当な数に上った。というのは、それだけ得意先が広がった意味である。それも、創業当時の、ちょっと私たちが新聞に掲載するのに首を捻《ひね》らなければならないようないかがわしい広告は整理され、まず一流とは云えないまでも、相当な顔ぶれのスポンサー筋に彼は喰い込んでいた。

新聞社は、ときどき、扱店を招待する。

そういう懇談会の席でも、彼は決して皆から無視出来ない存在になっていた。ちょうど年ごろも脂《あぶら》の乗った盛りで、商売は軌道に乗るし、励みが出て、彼の商売はいよいよ隆盛の一途をたどるように見えた。

ある日だった。

例によって私が彼の店に遊びに行くと、また受付の女が替っていた。前の女の子もちょっと可愛《かわい》かったが、今度の女の子は、それまでにない美人だった。年も二十か二十一というところか、ちょっとエキゾチックな顔をしていて、彫りが深い。眼が大きく、細く鼻筋が通って、唇の恰好《かっこう》が可愛かった。

こういうような微細なことを私が云うのは、つまり、私自身が少しばかりその女に惹《ひ》かれたからだ。もっとも、私は新田と同じように四十七歳にもなっていたから、若い彼女へ別にどうという気はない。いわば、彼の店に遊びに行くのに眼の愉《たの》しみが一つふえたという程度だった。

「おい、いい子が入ったじゃないか」

と私は、すでに堂々とした社長室に区切られている彼の部屋に入って無駄話をした。

「なんだい？」

このごろ、すっかり肥えてきた新田は頰のたるみに笑いをのぼせて訊いた。

「今、ちょっと入りかけに横眼で見たがね、受付の女は、なかなかいいじゃないか？」

「うん、あれか」

新田は軽く笑った。

「もう、君の眼に着いたのか。実は、もう二週間も前に入れたんだがね、どうにも、ちょっと垢《あか》抜けしすぎたのか、若い社員の尻《しり》が落ちつかないようで困るよ」

と、彼もその女の美貌《びぼう》を認めていた。

「それじゃ能率が上がらないで困るだろう。また早いとこ嫁にやるのか？」

私は、新田がよく云う言葉を思い出して訊いた。

「まあ、こちらが心配しなくても、ああいうのは引く手あまたで、すぐに行ってしまうだろう」

新田は煙草《たばこ》を吹かしていた。

「名前は何というのかい？」

私は物好きに訊くと、

「そんなに気に懸かるなら、ここに本人を呼んでやろう。君が直接に訊きたまえ」

新田はにやにや笑いながらベルを鳴らして、給仕に、

「佐伯《さえき》君に来るように」

と云った。

私は、それで初めて受付の彼女が佐伯という苗字《みようじ》であることを知った。

やがて、衝立《ついたて》の蔭《かげ》から受付の女が現われた。私は彼女がすわったところしか見なかったが、こうして立って見ると、なかなか均整のとれたスタイルである。少し小柄だが、顔が細面だけに全体の形がいい。

彼女は、新田にお辞儀をする前に、来客の私に丁寧に頭を下げた。その仕方がいかにも新しく入社した娘らしく、素直で初々《ういうい》しかった。

新田は彼女を呼んだものの、特別に用事がないもので、近ごろは仕事に馴《な》れたかね、というようなことを訊いていた。新田自身の眼つきを私は秘《ひそ》かに窺《うかが》ったのだが、まるで子供扱いの眼差《まなざ》しだった。

「こちらは××新聞の広告部次長さんだ。ときどき、ここにいらっしゃるから、お顔を覚えておくがいい」

などと新田は云っていた。

　彼女は、つつしんで、という言葉が似合うように、行儀よく頭を下げてそれを承った。

「ところで、君の名前は何と云ったんだっけ？　この次長さんと電話で話すこともあるかも知れないから、申し上げておいた方がいいね」

　新田は冗談とも真面目《まじめ》ともつかない顔で命じた。彼女はちょっと頬を赧《あか》らめた。そして、私に向って改めてお辞儀をした。

「佐伯光子と申します。どうぞよろしく」

三

　それからも私は彼の店によく行った。

　だが、別に彼女に野心があるのではなく、用事や油を売るために行くことは、これまでと変りはなかった。ただ、受付の所を通るたびに、佐伯光子が可愛《かわい》げな顔で挨拶《あいさつ》してくれるのは、多少の潤《うるお》いだった。彼女はいかにもまだ少女めいて、無邪気な様子をしていた。

　あるとき、それは大分経《た》ってからだが、私が新田の店に行くと、ちょうど新田の細君の元子が来合せていた。

ふらりと店に入ったのだが、受付のところで元子と佐伯光子とがひどく仲よげに話し合っていた。もっとも、仲よげにと云《い》っても、一方は社長の夫人だし、年齢も違うので、佐伯光子の方が遠慮していた。だが、その遠慮の中にも、光子は社長夫人に多少甘えているようなところさえあった。

「あの子、ほんとにいい子ですわ」

元子は、受付の場所を離れて、私と社長室で話した。このとき、新田はちょっと居なかったように思う。

「ぼくもそう思うんですよ。やはり商売が繁栄し、社に信用が付くと、ああいういい子が集まるんですね」

そんなことを私は云った。

「実は、わたしもそう思ってうれしかったんです。おかげさまですわ」

元子は、あの愛嬌《あいきょう》のいい笑いを浮かべて応《こた》えた。だが、その愛嬌のよさも、以前とはすっかり違い、私が多少威圧を受けるほど彼女は鷹揚《おうよう》めいていて、気品が増していた。

「あんな子、わたし、大好きなんです。ときどき、うちに遊びに来るように、今も云っていたんですが」

新田夫婦の間には、男の子が二人あるだけだった。まだ小さかったが、男の子だけの家庭というものは、妙に女の子を欲しがるものである。元子がそう云うのは、佐伯光子が可愛らしいからばかりでなく、そのような意識下の要求からも来ているように思えた。

「わたし、あんな子の世話をうんと焼いてみたいと思いますの」

元子は云っていた。

もっとも、元子がそう云うのは、佐伯光子だけに限らなかった。彼女は使っている社員全体に対して何か母性的なものを持っていた。だが、佐伯光子には特別愛情を持っているのははっきりと読み取れた。

それとは別の日だったが、あるとき、また社長室で無駄話をしているとき、ふと佐伯光子のことを私が口に出すと、新田は少し眉《まゆ》をひそめた。

「少し、彼女について困ったことが出来たんだ」

「どうしたんだね？」

「ああいうちょっと可愛い女だから、どうも若い社員が彼女にいろいろとモーションをかけるらしい。ラブレターなんかもしょっちゅう貰《もら》ってるようだ。こんな状態では店の風紀も乱れるし、仕事の能率にもさしつかえるから、少し考えなければならないと思っている」

と、ひどく屈託げだった。

「それは、若い者ばかりの中だから、それぐらいはあるだろうね」

私は云った。

「何とかするというのは、彼女を辞めさせるというのかね？」

「まあ、そんなところだ」

新田は浮かない顔をしていた。事実、そのとき彼の見せた曇った顔は、妙に私にあとまで印象的だった。

新田は佐伯光子を辞めさせるような口吻《くちぶり》だったが、案外、彼女の姿は受付に永く残っていた。彼女は、私に対しては大分馴《な》れ馴れしくなったが、どこかにある距離があって、その馴れ馴れしさも少女らしい初心さを決して失っていなかった。私は彼女のこの態度を好ましく思った。

「君、佐伯光子はまだいるね。君はこないだあんなことを云ったが、なるべく、ここに置いてやった方がいいよ。若い社員の方は、君が充分に監督すればいいわけだし、彼女の方でその気がなかったら、手出しは自然と諦《あきら》めるからね」

と私は新田に云った。

「ぼくも実はそう思ってる」

と彼は私の意見に賛成した。

「このごろ、社員たちの様子を見ると、前よりは落ちついたらしい。どうやら、彼女にちょっかいをかけた連中も、近ごろは、すっかり手を上げて、鳴りを静めたようだよ。おかげで、ぼくが心配したような風紀の心配もないし、能率も下がる気づかいはなくなったようだ」

新田は眉を開いたように明るい顔をしていた。そのころ、社員も四十人ぐらいになっていた。

ところが、それから二週間ばかり経ってのある晩だった。

私はある宴席で遅くなり、たしか十一時ごろだったか、ハイヤーに乗っていた。私の家は中央線の荻窪《おぎくぼ》だったが、その晩は、牛込の方の親戚《しんせき》の家にぜひ寄らねばならない用事があり、泊る覚悟でその方に向っていた。車は銀座から神田を経て九段坂を登り、靖国《やすくに》神社の後ろを走っていた。

この辺は環境のいい所だが、夜は寂しく、あたりは学校だの大きな屋敷の塀だのがあったりして、人通りは少ない。時たま、アベックが散歩を愉《たの》しみながら通るくらいのものだった。十一時も過ぎると、それも数が少なくなる。

私は何げなく座席の後ろにもたれて前の方を見ていると、車がある角を曲った瞬間に、ヘッドライトが路《みち》を歩いている一組の男女を映し出した。

急に光を当てられた男女は、急いで顔を背けたが、それを一瞬に見たとき、私はあっと思った。

一人は確かに新田徹吉であり、一人は佐伯光子だった。寒くなりかけた気候のときで、何よりも新田が着ていたチェックのオーバーに見覚えがあった。それから、佐伯光子の方は、きらりと光った自動車の光芒《こうぼう》の中に顔を瞬間にさらしたが、その特徴のある容貌《ようぼう》は私に見誤りをさせなかった。

車はそのままの速度で過ぎて行く。私は何か悪いような気がして、横の窓から覗《のぞ》くことをしなかったが、車が二人をあとに残したとき、後ろ窓に自分の顔を付けて見たものだった。遠ざかる薄い街灯の光に、二人は肩を寄せ合うようにして歩いているその姿こそ紛れもなく新田であり、佐伯光子だった。

うすうす前から予感がないでもなかったが、この現場を見て、はっきりと新田と光子の仲を私は知ったのである。

これまで、新田が少しも女に手出しをせず、彼自身に云わせると、つき合い上の浮気ぐらいはするが特定の女性は持たない、と云ったにも拘《かかわ》らず、佐伯光子は特別のようだった。実際、あのように若くてきれいな女の子を、始終、手許《てもと》に見ていると、新田もついその気になったのは無理もないように思えた。私自身がその立場になれば、やはりそうなったかもしれないのだ。

　そういえば、新田が以前に、うちの若い社員が佐伯光子に手出しをして困る、と云ったときの憂鬱《ゆううつ》な顔が思い出された。多分、あのときからもう新田は佐伯光子を愛していたのではなかろうか。普通なら、もう辞めさせると云った彼のことだから、もうあれは嫁にやったよ、と笑うところだったが、いつまでも佐伯光子を受付に残しておいた。あとで私が訊《たず》ねたとき、このごろは、社員たちもみんな彼女を諦めたのか、おとなしくなったよ、と云った晴れ晴れとした顔が思い出される。

　私は正直のところ、その現場を見た当座は思わず微笑した。あの新田が佐伯光子のような女と出来たのは、やはり永い間の苦労が実り、やっと商売が軌道に乗った今、それくらいの恋愛は寛大に認めてやっていいという気がした。

　だが、車に乗っているうち、しばらくすると、私に反対の気持が起った。云うまでもなく、それは新田の細君の元子のことだった。

　新田をこれまでにするには元子の努力が大きい。その成功の半分以上は彼女にある。そのおかげでどうにか成功した新田が、元子を裏切って店の若い女と恋愛に陥るのは許せないような気持にもなった。人間の心というものは不思議なもので、あれこれと考えて方向が定まらない。

私は秘《ひそ》かに元子に同情した。あんな立派な細君は新田にとって再びめぐり会うことはないように思う。いわば彼に過ぎた女房である。新田がこれまで特定の女を持たないというのは、その女房への感謝であり、裏切りを自ら許さない決心だったのではないか。彼の細君が立派な女性なだけに、私の知らないうちならともかく、現場を見てしまっては、私はこのままでは彼女に悪いような気がした。

そのうち、ことが大きくならないうち、折を見て、新田に忠告してやろう、と思った。

四

私は、しかし、いくら新田でもうかつには云《い》い出せなかった。佐伯光子と二人でただ歩いていたという理由だけで、真正面から彼に忠告するわけにはいかない。もう少し確証を摑《つか》む必要があった。でなければ、うっかりしたことを云って永い間の友情にヒビが入っては、取り返しがつかなくなる。

そんなある日のことだった。

私がある用事で新田の所に寄ると、受付に佐伯光子の姿がなかった。私はいつもの通り、別に案内も頼まずに社長室に行くと、思いがけなく、そこで新田と新田の細君の元子と佐伯光子とが一しょにすわっていた。私ははっとして顔色を変えそうになった。

だが、三人の間は決して険悪な状態ではなかった。むしろ三人とも大そう愉快な顔をして話し合っている。

「やあ、来たね」

と新田は私を歓迎し、その仲間に加えた。

「まあ、いらっしゃい。今、とても面白い話が弾んでるところなんですよ」

元子は私に笑いながら云った。

「なんですか？」

私は半分安心したが、なおも様子を見るようにして笑って訊《き》いた。

「いいえね、今も光子さんが、とても面白い話をしてるんです。やっぱり若い方だわ、聴いててとても愉《たの》しいんですの」

元子は朗らかに私に云った。

「あら、奥さま、そんなことを次長さんにまでおっしゃっちゃ困りますわ」

佐伯光子は、元子の腕を叩《たた》くような手真似《てまね》をした。

元子と光子の間は、いわば融《と》け合った間柄の様子である。新田はと見れば、これはにこにこしながら細君と光子とを眺めているのだ。

私は半信半疑だった。もし新田と光子とが出来ていて、わざとこのようなことをするのだったら、許しがたい演技である。が、どう私の眼で見ても、光子が元子にとっている態度は至極自然だし、また、新田がうれしそうに見ている表情もなんらの作為はなさそうだった。

私は夜の靖国《やすくに》神社の裏で見た二人の男女を自分の錯覚かと考えたくらいだった。また、もし、それが二人の共謀で細君の元子を欺瞞《ぎまん》しているのだったら、私も黙ってはいられない気がした。

その場は最後まで和やかに終った。

「吉村さん、またどうぞお見えになって」

という元子の表情はあくまでも明るかった。

私はその後もしばしば新田の店に行き、それとなく様子を見るようにした。もはやタダの駄べりではなく、半分は、佐伯光子と新田との関係を見究めようという探索に似ていた。だが、どうにも私には実際が摑めない。もっとも、これは無理のない話で、私が始終彼の店にいるわけではなし、時たま行っても、新田が私と話すだけで、受付にいる佐伯光子を呼び込む理由はなかった。だから両人の間を観察しようにも出来なかったわけである。

ところが、ある日、私が行ってみると、佐伯光子は受付にいなかった。のみならず、全く別な新しい顔の女が替っていたのである。私はそれを見た瞬間、ちょっと意外に思った。

社長室の新田に会って、それを訊くと、彼は声を上げて笑い出した。

「君も大分彼女に関心があるようだったがね、あの子はとうとう辞めたよ」

へえ、と私は彼の顔を見まもった。

「なんだ、惜しそうな顔をしてるな」

新田はにこにこしていた。

「実はね、君には黙っていたが、相変らず若い社員が彼女にうるさく云い寄るらしい。ぼくも一時はそれが下火になったかと思って安心したのだが、あに図らんや、敵の工作は隠密《おんみつ》を極めていたというわけだ。そんなことで彼女もうるさくなったのか、ちょうど、兄さん夫婦が地方から東京に越して来たので、同居を申し込まれたのを機会に辞める気になったんだね。つい四、五日前に辞表を出した」

新田は説明した。

「そうか」

私は佐伯光子が辞めたのを内心ではほっとした。私はあの靖国神社の裏での目撃をまだ疑っていない。いつぞやは、新田と光子とが元子の前で極めて自然に談笑したが、私のカン繰りか、どうもそれを正直に受け取ることが出来なかった。そのために、今、光子が社を辞めたと彼の口から聞き、私は大きな安心を覚えた。むろん、新田の細君のためにだった。

「それは残念だが、しかし、やれやれだね」

私は思わず云った。

「なぜだい?」

新田は訝《いぶか》るように私を見た。

「いや、彼女が辞めたとなると云ってしまうがね、実は、ぼくは君のことが心配だったんだ。あんな、ちょっと見られないような若い、きれいな子がいたら、いくら君でも、つい気持がおかしくならないとも限らないからね。そうなると奥さんが可哀《かわい》そうだ」

「バカなことを云っている」

新田は大声を上げて笑った。彼がこれほど声を立てたのは、ちょっと珍しかった。そのようにして何カ月かが過ぎた。私の頭には、完全に佐伯光子のことが記憶から失われた。もう彼女の代りに受付にすわっている別な女を見ても、佐伯光子のことを思い出すことはなかった。

新田はそれからも実によく働く。大体、中どころの扱店となると大きな店とは違い、社長が納まっているわけにはいかない。が、それにしても、彼は第一線の外交員と同じように得意先を回り、新聞社を走り回り、金融関係に努力した。扱店の中でも彼は働き者の評判を取っていた。社員は数がふえるばかりである。

元子とも、そのあと、ときどき社長室で会ったが、夫婦の間は大そうよかった。実際、はたで見ていて、新田は女房にひどく親切だったし、元子も夫に相変らず尽しているようだった。元子が店に現われると、何か空気に一本しんが通ったみたいに変るのだが、それは、決して峻烈《しゅんれつ》なものではなく、いわば酸《す》いも甘いも噛《か》み分けた社長の奥さんが来たというような、どこか母性的な緊張感に似ていた。元子の身辺にはそれだけの暖かい人間味を感じさせる雰囲気があった。

佐伯光子が辞めたすぐあとのことだったが、元子は私の顔を見ると、こう云った。

「光子さんが辞めてがっかりしたわ。わたし、あの子、ほんとうに好きだったんです。

親身になってお嫁入りまで世話をしてやりたかったわ」

私は複雑な顔になったに違いない。もし、新田が光子と少しでもそのような関係になっていたと知ったら、元子のその明るい表情は正視に耐えなかったであろう。が、実際に何事もないことだったら、これは大そう喜んでいいことだった。

それから、二カ月くらい経《た》った頃である。

ある日、私は路上で、偶然、新田の店の支配人格をしている佐々木という男に遭った。ちょうどお茶の時刻だったので、どちらから誘うともなく、手近にある喫茶店に入った。

いろいろな雑談の末だったが、私はふと、この佐々木なら新田と佐伯光子との間を知っているのではないか、と思った。私はそれを訊いてみたくなった。

佐々木は忠実な男で、新田も信用している。主人の欠点を佐々木が云う筈《はず》はなかったが、すでに佐伯光子は辞めていることだし、過去のことだから、あるいは彼の口から笑い話にでも出るかも知れない、と思った。

「ところで、佐々木君」

と私は云った。

「ここだけの話だがね、新田君と、前に受付にいた、ほら、佐伯光子というきれいな子との間だがね、君の眼から見て、どうだい、二人は変なことはなかったかね?」

私の質問を聴いて、佐々木は眼をむくように開いた。

その表情を見て、私は自分の直感が当ったと思った。

支配人の佐々木は、椅子《いす》を前に寄せて、私の方に屈みこんだ。

「それなんですよ、次長さん」

佐々木は深刻な顔になり、低い声を出した。

「次長さんもご存じだったんですか?」

「やっぱりそうだったのかね」

私はなるべくさりげない顔をした。

「別に現場を見たわけではないが、これはぼくの杞憂《きゆう》かと思っていたんだ。やっぱりそうではなかったんだね」

「そうなんですよ」

佐々木は特徴のある四角い顎《あご》を深くうなずかせた。

「前から私は心配していたんです。次長さんだから申し上げますが、実は、社長と佐伯光子とは、とうに出来ていたんですよ」

佐々木は多少誇張した身ぶりで云った。私は、この男がかねてから何でも少しオーバーに云うので、そのときも多少割引きしたい気持だった。

「そりゃ、君、本当かね？　何か確証があるのかね？」

すると佐々木は、私を少し愍《あわれ》むような眼つきで見た。

「次長さんは、まだそんなことをおっしゃるんですか。確証もヘチマもありませんよ。社長は、佐伯光子との間が社員たちに知れそうになったので、あの子を代々木上原に囲っていますよ」

「え？」

と私は思わず咽喉《のど》から声が迸《ほとば》しり出た。

「そ、そりゃ、君、本当かね？」

「嘘《うそ》じゃありません。うちの社員は全部知っていますよ。社長は知らないように思ってるか知れませんがね」

五

新田が佐伯光子を囲っているとは初耳だった。彼が、光子は退社した、と云《い》ったのは嘘《うそ》の皮で、実は、こっそりと自分のものにしていたのだ。佐々木の話によると、社員でだれも知らない者はないという。

「君、それで奥さんの方はどうなんだい？」

私の気にかかるのはそれだった。

「いいえ、奥さんは何も知りません。まあ、あんなふうによく出来た方で、わたしどもも大へん奥さんには気の毒なんです。といって、こればかりは注進に及ぶわけにもいかないし、実は、困り果てています。私は、いっそ次長さんにでも相談して、次長さんから奥さんに内密に話して頂こうとも思っていました」

佐々木の顔は、実際、その相談を持ちかけかねないようだった。

しかし、こればかりは私も逡巡《しゆんじゆん》した。元子が未《ま》だ知らないのに、わざわざ教えて彼女を悩ませ、新田との間に騒動を起すこともない。新田が巧《うま》くその辺を取りつくろって、一応、家庭が無事なら、それでもいいような気もする。だが、果してそれがいつまでつづくかということだ。すでに社員は全部知っているというし、必ずいつかは彼女の耳に入るに違いない。そのときになって、私が知っていて教えなかったと分ると、元子からどのように恨まれるか分らない。

いや、私のことはどうでもいいが、元子が可哀《かわい》そうだ。考えてみると、新田にとっては出来過ぎた女房で、あれくらいな女はちょっと他に見当らない。新田は本気で光子に手を出したのではあるまいが、その辺は、女房は女房としての浮気心であろう。

が、それにしても、タダの交渉ならとにかく、彼女に一軒、家を構えさして、そこに囲うとなると、ことは普通ではない。

私は、結局、佐々木には、様子を見ようということにして別れた。事実、別にいい工夫があったわけではなく、下手をすると、かえって口出しすることによって新田夫婦の間に紛争が起りそうな気がした。

それにしても、新田はひどい男で、私まで光子のことで騙《だま》したのだ。彼として、打ち明ける勇気がなかったかも知れないが、私にだけでも事実を知らせて貰《もら》いたかった。私はなんだか裏切られたような気がした。

私は前のようには新田の所に足繁《あししげ》く行かなくなった。一つは、それを知ってからはなんとなく元子に悪いような気がしたし、また、明らかにことが面倒になってゆくのに立ち会いたくなかったからである。

それから三カ月ぐらい経《た》った。その間、二、三度は新田の所に仕事で寄ったと思うが、新田は相変らず光子のことは一言も口にせず、私が知らないと思ってか、しゃあしゃあとしていた。まだ元子にも分っていないとみえて、新田の様子は少しも昔と変りはなく、相変らず張り切ってやっていた。

だが、私が気にかかることは前とは変りはなかった。佐々木が社に来たとき、一度か二度、私は彼をこっそり物蔭《ものかげ》に呼び、その後の経過を訊《たず》ねたことがある。

「奥さんはまだ何もご存じないですよ。やっぱり社長は一週間に一晩ぐらいは、光子の所に泊って行くようです。それから一月に一度は、出張にかこつけて光子を連れてってるようですよ。困ったものです。奥さんに云うわけにもいかないし、黙っていると、なんだか肚《はら》の中がむずむずして落ちつかないし、弱りました」

佐々木はそんなことをこぼした。

しかし、こんなことはいつまでもかくせることではない。何か新田の家庭に波瀾《はらん》が起きなければいいが、と思っているうちに、ある日、新田から電話がかかって来た。仕事の話のあとで、

「実は、君に頼みがあるんだ。昨夜、君と伊豆《いず》の修善寺に行っていたことにしてくれないか。詳しいことはあとで云うが、とにかく、うちの女房から問い合せでもあったら、そのようにして答えてくれ。すまないが、頼む」

こちらには有無を云わせなかった。私はぴんと来た。新田が光子を連れて修善寺に行き、その証拠を元子に摑《つか》まれ、苦し紛れに私と一しょに旅行したと言い訳をしたに違いない。元子から問い合せがあったら口裏を合わせてくれ、と云う意味である。

詳しいことはあとで云うが、と云って電話を切ったが、私は腹を立てた。今まで一

切、口を拭《ぬぐ》っておきながら、勝手なときにそんな頼みをする彼が小憎かった。だが、光子との生活はすでにもう半年近くなるし、新田の気持も半分は分らないでもない。私が腹に据えかねたのは、彼が一切を打ち明けもしないで、勝手なときにそんな頼みをしたからである。

すると、その午後、新田の予告どおり、元子から電話がかかって来た。

「今夜、お帰りにでも、ぜひお目にかかりたいんでございますが」

挨拶《あいさつ》ののちに元子は云った。

「ご迷惑でもお願いいたします」

元子の声は落ちついていた。むろん、いつものような賑《にぎ》やかなところはなかった。

私は、新田に頼まれたことを守るべきか、正直に云うべきか、を考えながら、決断のつかないままに彼女に会った。それは社の近くの喫茶店だった。

こちらが心配したほど元子は興奮してもいず、悄気《しょげ》てもいなかった。もっとも、しっかりした女だから、容易に感情を見せないのかも知れない。穏やかな笑いをときどき顔に漂わせたくらいである。

「お恥ずかしい次第ですが、新田は、店に前に働いていたご存じの佐伯光子さんと普通の間ではないようです。前から、少し様子がおかしいとは思っておりましたけれど、昨夜、修善寺に社の打ち合せ会がある、と云って出かけて帰ったとき、鞄《かばん》の中からはっきりそれを見つけました」

元子の云い方は、私にことの真偽を確かめるのでなく、初めから決定的だった。私はせっかく新田から頼まれながらも、言い訳を口に出す余裕はなかった。元子の話で、私は有無を云わせられないで事実をみとめたかたちとなった。

「吉村さんは、前からご存じだったんじゃないでしょうか?」

元子は少し首を傾《かし》げて笑いながら私を見た。その表情のどこにも暗いものはなく、あくまでも明るかった。

「いや、実はうすうす察しないでもありませんでしたがね」

私は赧《あか》くなった。

「いいえ、それはよく分っております。わたしは吉村さんのお気持を、ちっとも妙には考えておりませんわ。でも、新田は困ったことをしてくれました。それは、これくらいに成功したのですから、少しくらいの女遊びは仕方がないと、眼をつむります。でも、特定の女、それも店に働いていた、あの光子さんでは、ちょっと困るんです」

元子の話し方は落ちついていた。それは少しも作りごとめいたところがなく、彼女の自然のままだった。

「新田の方が悪いんです。これが水商売の女《ひと》とかいうのならともかく、あんな若い娘さんをそんな立場にしてはいけないのです。わたしは、早く光子さんと手を切るようにさせたいと思います」

私は元子の云うことに賛成した。佐伯光子はまだ若いし、あの通りきれいな子だから、これからも必ず縁談があるに違いない。新田の一時の道楽から彼女の一生を犠牲にしてはならない、というのが元子の云うことだった。

だが、これは、彼女の話の通りに取っていいか、あるいは、もっともらしいことを云いながらやはり女の嫉妬《しっと》が混っての話なのか、私には判断が出来なかった。が、どちらにしても元子の云うことは当然であった。

「私が吉村さんにお目にかかりに来たのは、吉村さんの口から新田に、あの女と別れてくれるよう忠告していただきたい気持で参ったのですが、今になって、かえってそうしていただかない方がいいように思われます。下手に新田の感情を荒ら立てて、逆効果になってもつまらないと思います」

内心で私はほっとした。実際、こういう問題に口を出すのは私は苦手である。それでも、元子には、いざという場合、私どもに役立てば、遠慮なく何か云いつけてくれと、自信のないくせに何とか彼女を慰めたつもりで、別れた。

それから時日が経った。元子と新田の間にどのような争いがあったか、または、円満に解決がついたかは私は知ることもなかった。新田には仕事でときどき顔を合わせるが、彼の表情からは何事も読み取れず、この間の電話で、修善寺のことの口裏を合わせておいてくれ、と云いながら、その理由も彼は黙っていた。

私は自然に支配人の佐々木に話を訊《き》くようになった。

「いや、やっぱり切れていませんよ」

と佐々木は困った顔をして云った。

「奥さんには、完全に分ってしまいました。そして、うちの大将と奥さんとの間には、大分もめごとが起りましたがね、大将は、何でも奥さんの云う通りに別れる、と約束したらしいです。が、いざとなると、やはりその通りにもいかないようで、ずるずるになっています」

「奥さんはどうしてるかね」

私は訊いた。

「ああいう賢い人ですから、表面には何も見せません。でも、よその女房のように、毒づいたり摑みかかったりするようなことは絶対になく、快く大将を迎えてるようですよ。そういうのがかえって男には苦手でしょうね、大将もちょっと奥さんには威圧されてる恰好《かっこう》です」

威圧されてるとは云いながら、新田は依然として、光子とは別れていない。中年の新田にとっては、若い光子はやはり魅力があり、可愛《かわい》くてならないのであろう。するなら、このままの状態でつづくか、世間に云う公認二号として元子が光子の存在を認めるか、そのどちらかになるように思われた。

六

ある晩のことだった。

私がやはり社を遅く出て、車に乗って或《あ》る十字路に差しかかった。ちょうど映画館のハネで、観客が大勢、赤信号にかかって停っていた。私は見るともなく窓から見ていると、偶然に、佐伯光子の顔をその中で見たのである。

今度は明るい所だったし、信号の変るのを待って佇《たたず》んでいるので、はっきりと確認した。彼女は一人ではなかった。その横に若い男がいて、それと親しそうに話している。だれが見ても、二人だけで映画に行っての帰りということが分った。

私ははっとした。佐伯光子には若いボーイフレンドがいる。彼女と並んでいた若い男の顔がどこかの会社員のタイプで、やさ男だった。映画を一しょに見ただけでとかくの判断は早すぎるが、確かに二人の間は恋人のようだった。私は、車が走り過ぎてからも、その幻像が頭から離れなかった。

おそらく新田はこのことを知るまい。佐伯光子は、新田に隠れて秘《ひそ》かに火遊びをしているのだ。彼女の年齢として新田はあまりに年齢が開き過ぎる。若い女はやはり同じような年ごろの青年を欲しているのであろう。光子の気持も私には分らないではなかった。

それにしても、新田はこの光子のことにはまるで無知なのだ。彼は、光子が自分だけに生きていると信じているに違いない。

私はふと元子の話を思い出した。もし、新田が光子と別れるなら、これはいい機会である。一切が分ってしまえば、新田だって、一時は憤慨するかも知れないが、分別ある男だから、かえってさばさばと別れるであろう。また、元子が云《い》ったように、光子に結婚の相手が出来たら、彼女のためにも新田との別離は幸福である。

私はその目撃をまさか新田に云うわけにいかず、支配人の佐々木の口を通してでもそれとなく伝え、彼の目を覚まさせようか、と思っていた。だが、なんと云っても、瞬間のその目撃だけでは裏づけがない。

佐々木に云うと、彼は首を傾《かし》げていた。

「さあ、それは私も初耳ですな。あの女に若い恋人が出来るというのは、それは考えられますね、なにしろ、年齢が若いですからな」

佐々木は知らないようだった。

「それはいいことを教えて下さいました。私も光子の様子をこれから気をつけてみて、もし、それが本当だったら、はっきりと大将に云いましょう」

だが、気の弱い性質《たち》の佐々木が、果してどの程度まで新田に直言出来るか、私には危なかった。むしろ、佐々木は元子に云うべきであろう。が、これはなんだか告げ口めいて、私にもそれは勧めることが出来なかった。

しかし、私が思案することはなかった。元子の方から云って来たのである。

「吉村さんにはご心配かけました」

と彼女は私に云った。前もって電話で打ち合せ、やはり喫茶店で会っての話である。

「あなたにはお知らせしませんでしたけれど、わたし、光子さんとはよく会って、あのひとの世話を焼いていたのです。おかしな女と思われるかも知れませんが、わたしの気性として、知らぬ顔も出来ませんでした。そりゃ、相当な年齢の女《ひと》だったら、わたしも黙っていますわ。でも、あんな若い、可愛《かわい》い子ですもの、なんだか可哀《かわい》そうになって、気をつけてやっていたんです」

それは私に初耳だった。だが、元子にはそれが出来たのだ。私の想像だが、そこまでになるには、新田と元子の仲には争いも起ったろうし、また、佐伯光子も困惑したことであろう。だが、元子の才知は、夫をも自分の意志に従わせ、光子をも自分の思うようにしたのである。いわばその辺の事情は、半分、公認の二号というかたちに近いであろう。

「でも、助かりましたわ。実は、光子さんに最近、縁談が起ったのです。わたしにこっそり打ち明けましたわ。好きな人が出来たらしいんですのね。新田には云えなくて、わたしに打ち明けるところなぞは、若い人らしいわ」

彼女はほほえんだ。その微笑は、半分は明らかに安心があった。

「それで、わたし、光子さんのお嫁入りの費用や、その衣裳《いしょう》、道具など、みんな持って上げたいと思うんです」

「新田はどう云っています？」

私は訊いた。

「新田も、初めはびっくりしていました。やはり寂しそうな顔をしていましたわ。なんと云っても裏切られたのには違いありませんからね。自分の亭主のことでおかしな話ですが、見てて、可哀そうなくらいでした。でも、あんな気性ですから、思い切りよく、わたしの云う通りになりましたわ。そして、さすがに、わたしの顔を見てバツが悪そうに苦笑いしていましたわ」

私にはその情景がよく分る。新田は、光子には肩すかしを喰ったかも知れないが、女房の元子にはその処置を感謝したであろう。そして、やはり女房の方が一枚上手だという感じを改めて抱き、女房のよさが身に沁《し》みたであろう。

元子が光子のことを知ってから、この処置に出るまで、かなりな期間があったということは、その間、彼女なりの苦悩や、夫の新田との間の暗い闘争があったことを語るのである。だが、元子の顔を見ると、みじんもその苦労の跡はなかった。

新田が、元子の云う通り、光子と別れる気持になったのは、光子に縁談が起きたというよりも、光子に結婚していい好きな相手が現われたことを知ったからであろう。

私はふと考えた。この間、自動車の中で見た、映画館帰りの観衆の中に光子と並んで立っていた若い男のことである。新田はあの青年のことを果して知っているのか。光子が彼を裏切って、ひそかに若い恋人を作っていた事実を、新田は承知の上で、元子の勧告に従ったのであろうか、この辺は微妙なところだ。

私は元子に光子の相手のことを訊《たず》ねた。すると彼女はそのときだけは少し暗い顔をした。

「実は、そうなんですよ。光子さんには恋人があったんです。今の若い人はあっさりしていて、わたしがそれを訊《き》くと、隠さないで打ち明けましたよ。まあ、それで、わたしも少しは気が楽になったんです。でも、なんと云っても新田はいけませんわ。いわば、きれいなお嬢さんを嫁入り前にそんなことをしたのですからね。わたしは、今は新田を憎むよりも光子さんにすまないと思っています。ですから、出来るだけのことはして上げたいと思っていますの」

私はうなずいた。

「で、新田君は、その佐伯君の恋人のことを知っているんですか?」

「うすうすは分ったようですわ。でも、はっきりとは知らないようです。わたしもやっぱりそれは云いません。なんだか新田に残酷なことを云うようで気がひけるんです」

元子はなんという理解のある女であろうと思った。普通の女房だったら、かえって光子のことを暴《あば》き立て、夫に冷笑を浴びせるところである。また、そうされても仕方のないことだった。世間なみの女房なら、感情に走って、あらゆる悪口を新田に浴びせ、亭主を嘲弄《ちようろう》するところかも知れない。だが、元子の理性はそれを抑えた。彼女は夫の立場も考え、また光子のことも考えている。私は他人のものながらこれほどの妻を見たことがない。

「それは立派なお気持です」

と私は思わず云った。

「まあ、いろいろ、奥さんもお苦しみがあったと思いますが、これでかえって新田君もきれいさっぱりと、もやもやとしたものを断ち切って、仕事に精出すと思いますよ。何と云いますか、雨降って地固まるといった、かえって結果的にはよくなるかも分りませんよ。男というものは、妙なはずみで見違えるように立ち直るものですからね」

私は、そんなありきたりな言葉を云った。こんな当座のありふれた言葉で元子に応《こた》えている自分が、少し貧しく見えたくらいだった。

「それで、光子さんの結婚式はいつなんですか?」

私が訊くと、

「それはもうすぐなんですよ。あと二週間ぐらいです」

「そんなに早くですか?」

私は少し愕《おどろ》いた。

「そうなんです。光子さんも先方の方も、早く結婚したいらしいのです。それで、なんですか、わたしも光子さんの支度の買物をするやら、ここんところ転手古舞《てんてこま》いでしたわ」

「まるで奥さんが親代りみたいですね」

私はそんなことを云った。

「ほんとですわ。でも、初めてそんなことで買物をするのも、愉《たの》しい気持でしたわ」

元子はそう云ったが、その言葉は、決して私へのてらいでもなく、虚勢でもなく、事実、そう考えているように私には思えた。

その後、私は新田に会わなかった。いや、会うことを避けた。光子の結婚式が済むまでは、何となくつらくて彼の顔を見られなかったのである。私は、その二週間が過ぎて、光子が結婚したあとで、初めて彼に会おうと思った。ことが済んでしまえば、彼の気持も落ちつくであろうし、時間的な経過が一種の治療剤になって笑い話にでもなるだろう、と期待していた。

ちょうど、その間に、私は九州に出張を命ぜられた。

それは、ほぼ十日ばかりの日程だったが、その期間に光子と相手の青年とが結婚式を挙げる筈《はず》の日が入っていた。ところが、私が帰京する前に、あの事件が起ったのである。私が東京に帰って詳細を知ったのは、いろいろな関係者の話を聞いてからである。

七

その日、新田は珍しく早く家に帰って来た。

光子と別れてからの新田は、表面では別に変りはなかったが、やはりどこかで寂しそうだった。その日が光子の婚礼の日であることを、新田も元子も知っている。元子は新田にも断わって、光子の嫁入りには衣裳《いしょう》や道具の数々を贈ったのである。

光子の婚礼が、その日の夕方六時ごろから、都内のある料理屋で開かれていることも、夫婦は知っていた。光子は、いろいろ元子から親切にして貰《もら》ったので大そう感謝し、披露の宴にも出てくれ、と云《い》っていたが、さすがにこれは元子が断わった。

元子はその日、新田がいつもより早く家に帰って来た気持が分らないでもなかった。夫婦は、光子の宴が今ごろ進んでいることを両方とも意識している。それでいて、光子の話には触れないで、二人だけが寄り添い、ひっそりとこの夜を家の中で過そうとしていたのだ。元子は新田にいろいろと気を遣った。だが、それも、わざとらしいところを見せてはいけない。男の気持に反撥《はんぱつ》を起させてもならなかった。

「元子、久しぶりに酒でも飲もうか?」

新田の様子は別段、普通と変りはなかった。

「そうね、どこかへお食事に行きましょうか?」

彼女は笑って云った。

「いや、どこに行ってもつまらない。家で飲みたいな。このごろ、外でばかり飲んでるから、少しは家で落ちついて飲みたくなった」

「あら、うれしいわ」

元子はいそいそとして支度をした。

「何もありませんのよ」

台所に行きかけて、元子は大きな声を出した。

「何でもいいよ」

新田はそれに大きく応《こた》えた。

元子は、女中の手も借りず、冷蔵庫に残っているあり合せのもので肴《さかな》を作った。新田は日本酒の方は駄目で、洋酒党だったので、彼女はハイボールを作り、新田の所に運んだ。新田は座敷で寝転んでいたが、酒が来ると起き上がった。

「わたしも頂くわ」

元子も飲んだ。朗らかな笑い方をして夫の相手をした。

座敷の違棚に置時計があった。時計の針は七時を指していた。光子の披露宴は進んでいるに違いない。新田も時計を意識しているに違いなかった。だが、両方ともやはりそれには触れなかった。そこに時計があったのがいけなかったのである。

しばらく、なんとなく落ちつかないような、ひっそりとしたような空気が漂っていた。

新田はハイボールを三杯飲んだ。元子が作った俄《にわか》手料理もうまいと賞《ほ》めた。彼は酒が強い方で、ハイボールを三杯飲んだところでさして酔ったとは思えない。元子は一杯をようやくあけた。

「少し酔ったかな？」

新田は四杯目にかかって云った。

「あら、そんなでもないようよ」

新田の顔を見て元子は云ったが、

「いや、酔った」

と彼は主張した。

「どうも頭がはっきりしない。外に出て、少し風に当って来よう」

新田は立った。

自宅の付近は環境のいい所で、大きな邸宅が幾つもあり、林など点在して閑静だった。

元子は、ちょっと心配になった。だが、新田の様子は別に変りはない。着ている物もそのままである。散歩と云うので、止めることも出来なかった。

「早く帰っていらしてね」

元子は出かける夫に頼んだ。

「うん、ひと回りしてすぐ帰るよ」

実際、新田は、元子が玄関に送ってものんびりとした足取りで出て行った。

それきり新田は家に帰らなかったのである。

あとで分ったのだが、そのまま通りがかりのタクシーに乗り、車で一時間はたっぷりかかる光子の披露宴会場である料理屋に駆けつけたのだった。途中、彼は金物屋の前で下りて、切り出しナイフを一つ買っている。

宴会場は中級の料理屋で、新田はその玄関に何げなさそうに入って行った。そこで彼は、当夜の花嫁である光子を呼び出してくれ、と女中に云ったそうである。

ちょうど、光子は花嫁衣裳を着替えるために一たん控え部屋に帰ったときだった。女中が新田が来たことを告げると、ちょっと顔を曇らせたが、わたくし一人だけが会えばいい、と云いながら誰も来させずに出て行ったという。ほかの者も、光子の懇意な祝い客が来たものと思ってべつに気に留めなかったそうである。女中が一人だけ光子に付き添った。

その女中の話だが、光子が玄関に出ると、新田は彼女を見てちょっと笑ったそうである。それで安心したのか、光子は玄関先に膝《ひざ》を突いて、いろいろお世話になりました、というようなことを云った。そのとき、向い合っていた新田の顔が見る見る蒼《あお》くなった。人相が急に変ってきたのである。

はっとしたのは、見ている女中だけではなかった。光子が急いで立ち上がり、奥へ駆け込もうとした。そのとき、新田が追っかけ、肩をつかまえた。光子が短く叫んだ。彼女の身体は、新田の手に引き戻されるように弓なりになった。女中は、突然の出来事に、止めるのも忘れて茫然《ぼうぜん》としていたそうである。

光子が後ろに倒れかかるのを、新田は蔽《おお》いかぶさるように身体を女に密着させ、何か訳の分らぬことを喚《わめ》いた。すると、光子は無理に新田の身体をつき放して、奥へ五、六歩踏み込んだが、そこで倒れた。転んでからはじめて彼女の華麗な花嫁衣裳に、まるで、それも模様の一つであるかのようにきれいな赤い色が拡《ひろ》がって行った。

新田は、この事件のために、その持っている悉《ことごと》くを失った。光子は、刺された個所が急所を外れていたため、幸い軽傷で済んだ。が、むろん、彼女の縁談はこの事件によって滅茶滅茶になった。

新田はその店をたたんだ。むろん、事件は新聞にも出て、彼は、その面目も、せっかく努力して築いた地位も、商売も、悉く一瞬にして破壊したのであった。

なぜ、新田がそのようなことをしたか。彼は、その宵、ひっそりと妻の元子と酒を汲《く》んでいたのだ。だが、居間に置いてある時計がいけなかった。一刻一刻、針が進むにつれて、光子の花嫁姿が彼の瞳《ひとみ》に動いて映ったのであろう。その前までは、彼は光子のことを完全に思い切ったつもりで、その賢い妻と寄り合うようにして、というよりも、彼の方が妻に寄りかかって、その夜、何事も忘れたように過すつもりだったに違いない。

だが、彼は家をとび出た。その散歩も、初めはまさに散歩のつもりだったかもしれないが、元子から瞬時に離れた彼の心には、中年男のどうにもならぬ嫉妬《しっと》が一ぺんに燃え上がったのである。理非も分別もなかった。タクシーに乗った彼が、眼をぎらぎらさせて、光子のいる宴会場に駈《か》けつけたのであった。

元子が立派な妻であったという私の考えは、今でも変りはない。だが、彼女があまりに立派過ぎた。これが平凡な女房で、いつも光子のことで夫との間に小さな諍《いさか》いをつづけていたら、新田も光子のことでそのように抑圧された感情はこもらなかったであろう。案外、あっさりと光子を諦《あきら》め、彼の嫉妬も分散していたであろう。私は、新田が自らの手で一瞬にすべての生活を崩壊させた原因の一つは、かえって元子の賢さにあるような気がする。といって、私は少しも元子を非難する気にはなれない。彼女は立派な女性だった。

現在、新田夫婦はどこに行ったか分らない。なんでも、関西方面にいるという話だが、定かに消息が知れないのである。

——私がこんな回想に耽《ふけ》っていると、いつの間にか、いま、私が出席している披露宴は客のスピーチを終り、花嫁花婿《はなむこ》が全員の拍手に送られて控えの間に退《さが》るところだった。

たづたづし

一

夕闇《ゆふやみ》は路《みち》たづたづし月待ちて行かせわが背子その間にも見む（七〇九）

この歌は奇妙にわたしの頭に印象を刻んでいる。別に万葉集や和歌に趣味があるのではない。たまたま本屋に寄って万葉集の本を開いたとき、偶然、この歌が眼にふれて頭に残ったのだ。そのときも、どのような心理で本棚に並べてある万葉集を手に取ったかよく分らない。それも東京ではなく、信州諏訪《すわ》の本屋だった。妙な土地で見たものだ。

この歌の意は、「月が出るまでの暗がりの路は、たどたどしくて分りにくいものです。あなた、どうか月が出るまで待って、その上でお出かけ下さい。その間にもあなたのお側《そば》にいとうございます」というのであろう。

なぜ、こんな歌がそのとき、わたしの頭に沁《し》みこんだのだろうか。

万葉の頃は、婿《むこ》が女房の家に行く通婚《かよいこん》だったから、こういう情景もあったのだ。夫は昼ごろから来ていたのか、宵から通って来たか、とにかく女房と一刻を過した夫はいざわが家に帰ろうとする。歌には夕闇とあるが、もっと遅い時刻と考えてもさしつかえはなかろう。月の出が遅い晩もあるからだ。女房は何のかんのと云《い》って引き留める。夫の肩を抱き、月が出るまではここに居て下さいね、途中が危ないわ、などと云って口説《くど》いている。夫は、そうだな、とか、まあ、とか云いながら、女の情にひかされてぐずぐずしている。……そんな場面が泛《うか》ぶのだ。

実は、このままの感情が、ついその前まで、わたしの身に降りかかっていたのである。そして、この歌を読んだ時と場所が一そうわたしに感銘を与えたのであった。

――その女は、東京の郊外に近い所にひとりで家を借り、そこから都心の勤めに出ていた。彼女は二十四だと云った。見かけよりずっと若い。知り合いになったのは私鉄電車の中である。毎朝停留所でも一しょだったし、偶然にすし詰めの車輛《はこ》の中でも隣合せた。どこの誰とも分らなかったが、わたしたちはいつの間にか、出勤や帰りのたまのめぐり遇《あ》わせに話をし合うようになった。

わたしは勤めている官庁で課長になったばかりだった。彼女の家に行ったのは、そういう心安さがかなり進展してからだった。わたしにも課長になったうれしさがあり、三十二というと、そろそろ浮気もしたくなるころである。人間は一段階上がると、何となく視野が展《ひら》けてきたような感じがするものだ。その視野の端に魅力のある未知の女がいても不思議ではあるまい。

尤《もっと》も、そのときは、あとで起るような場合を予想しなかったから、途中で他人《ひと》に見られても平気だった。誘いは彼女のほうからともなく、わたしからともなく行われた。女はひとりだからと云って、家に帰るまで、急いで市場に入り、牛肉などを買った。

「ちょっと待ってて下さい。買物をしますから」

「何ですか?」

「いいえ、ちょっとしたものなんです。すみません」

女はわたしを道路に待たせて、ごみごみした市場の中に入って行った。出て来たとき新聞包みを手に持っていたが、それがその晩のわたしへの御馳走《ごちそう》であった。

女は平井良子という名だった。その家は、まだ百姓家の残っている界隈《かいわい》に建っていた。隣家との間には畑があり、近所も家の密集はなかった。彼女の家はかなり古く、戦後すぐのものらしかったが、六畳二間に四畳半という間取だった。部屋の中は、女ひとりの暮しらしくきちんと片付き、しゃれた工夫がカーテンの色や棚飾りなどにあった。

「ひとりでこんな所に居るのはもったいないな」

と、わたしは出された牛鍋《ぎゅうなべ》をつつきながら云った。

「でも、お家賃は安いのですよ」

「そうですか。しかし、アパートのほうがもっと経済で、安全なんじゃないですかね。こんな所にひとりで寝ていると不安じゃないですか?」

「慣れると平気ですわ。かえって、ごたごたした御近所があると、女ひとりでは噂《うわさ》されやすいんです」

良子はそれほどきれいではなかったが、まず、整ったほうだった。それに、皮膚の艶《つや》もいいし、色も白かった。

わたしが彼女の家を訪問したのは、これが一度きりだった。しかし、それは正式にという意味で、あとはわたしが忍んで行ったというのが正しい。私の家は、彼女の家とはずっと離れた住宅街だった。駅から降りると、方向が違うのである。

その初夜は、初めて訪ねた晩から一週間後だった。わたしは早目に済んだ宴会の帰りに、ふと彼女の家を訪れる気になり、駅からそっちの方角へ回って行った。歩いて十二、三分だから、かなりの距離ではあった。それに、彼女の家はトラックなどが通っている往還から引っ込んだ所で、角に大きな百姓家が未《いま》だに防風林に取り巻かれて残っていた。

両方が同じような農家なので、狭い路はかなりの所まで、その木陰のために真っ暗であった。そこを抜けると、月光の道路に出た。それはまだ八時ごろだったが、近所はひっそりと雨戸を閉めて静まっていた。人の歩きもなかった。駅から降りて五、六分の所までは、一しょに降りた人たちと歩いたが、それも次第に疎《まば》らとなり、あとはわたしがひとりになった。

その晩、彼女は、わたしの不意の訪問を半ば予期したようにみえた。彼女は、寝巻の上に派手な羽織をはおっていた。この姿がわたしを一気に彼女に殺到させた。

わたしたちの関係は、それでも三カ月ぐらいつづいたであろうか。彼女が或《あ》る重大な話を持ち出さなかったら、それはもっと継続されたに違いない。

しかし、その三カ月の間、わたしには愉《たの》しみだった。もとより、それは妻も知らないし、同僚もそうだった。彼女の近所でもわたしという男が通って来ていることを全然知っていなかった。

わたしは役所が五時にひけると、わざと飲み屋に入ったり、パチンコで時間を潰《つぶ》したりして、夜の八時ごろには彼女の家に着くようにした。例によって私鉄の淋《さみ》しい駅を降りると、途中までの人はばらばらと脱落し、あとはわたしだけとなる。それから、両側に百姓家のある間の路を入って暗い木の間を歩き、彼女の家の前に出る。

ついでだが、東京の郊外でも、まだこんな近くに武蔵野《むさしの》の名残りがあった。雑木林の中に百姓家の外灯がちらりと洩《も》れるのは風情《ふぜい》のあるものである。鬱蒼《うっそう》としたトンネルのような木陰を抜けると、畑の向うに点々と人家の灯が見えた。

近所にわたしのことが知られていないというのは、なんと好都合なことであろう。このような情事で一ばん困るのは、それが他人に分ることだった。女もそれは困るだろうが、殊《こと》にわたしの場合は、せっかく出世街道を歩いている役人なので、よけいに困る。

彼女と二時間ばかり過したわたしが、いざ帰ろうとすると、女は、きまっていつももう十分、もう五分、と云って引き留めた。

「このまま、あなたとずっと一しょに居たら、どんなに仕合せかしれないわ」

と、彼女はわたしの胸にうつ伏して云った。

わたしは、自分には家庭のあることも、官庁に勤めていることも女にうち明けておいた。わたしの妻の父は、役所は違うが、別な官庁の相当高い位置にいた。つまり、わたしは、自分の将来のためには今の妻と当分別れられない立場になっていた。良子と交渉ができるようになってから最も警戒したのは、彼女から結婚を強要されることだった。そのためにわたしは現在の立場を彼女によく説明し納得させておいたのである。

だから、いま彼女が一しょになりたいと云ったのは、不可能な願望を嘆いただけであった。

家庭を持って初めての情事だった。わたしは彼女の家に出かけるのに心躍らしたが、帰りは別な意味で愉しみだった。女の家を出ると、夜の田園が展《ひろ》がっている。月の晩は、蒼白《あおじろ》い光が一面の畑を濡《ぬ》らし、遠くの森や木立が白い靄《もや》にぼやけた。樹《き》も葉も光って、野菜の上にもその明るさが溜《たま》っていた。昼間見ると、きっと汚ないであろう場所も、月光にきれいに霞《かす》んでいるのだった。

満月が近づくにつれて光はいよいよ強く、木立の影はいよいよ濃い。往還に出るまでかなり長い防風林の径《こみち》を行くと、その先にまた月の光が落ちている。木《こ》の下闇を抜けたり、月の下に出たり、また木立の陰を歩いたりすると、わが身がこの世のものとも思えぬくらい現実ばなれがした。

だからこそわたしは「豊前国《とよくにのみちのくち》の娘子大宅女《をとめおほやけめ》の歌一首」という、この「夕闇は路たづたづし」の歌に心が惹《ひ》かれたのである。作者は「未だ姓氏を審《つばひ》らかにせず」とあるから、九州の名も無い庶民の女であったに違いない。歌そのものが一つの物語となっている。しかし、わたしには、自分の経験に比べて、この歌から来る実感がひしひしと迫るのだった。

——ある晩、わたしたちに破局がきた。

二

わたしはそれまで、彼女がまだ結婚していないと信じていた。過去に恋愛があったとは想像していたが、独身であることは疑っていなかった。事実、彼女も自分に夫があるとはわたしに洩《も》らしていなかったのである。彼女が寄せるひたむきな愛情といい、一しょに棲《す》みたいという言葉からしてわたしは彼女がひとりであることを信じて疑わなかったのである。

ところが、その晩は、いつもの彼女とは様子が違っていた。最初から何やら物思いに沈んでいたが、愛の交渉が済んだあと、いきなり女は声を立てて泣き伏した。

どうも様子が変だとは思っていたが、この号泣に、わたしは何かあるなと直感した。日ごろの良子は、むしろ朗らかなほうで、どちらかというと、口の重いわたしが彼女に気分を引き立てられるほうだった。

「どうかしたのかね?」

わたしは、肩を震わせている良子の背中を押えた。彼女はそれでも泣きやまず、ますます激しく声を放ち、身体をぶるぶると震わせていた。

その結果、彼女は突然、

「何とかわたしと一しょになって下さい」

と云《い》うなり、わたしの膝《ひざ》の上で泣きはじめた。

それがいつもの嘆声とは違っている。もっと突き詰めた真剣なものがあった。

「そりゃ君とこういうふうになったんだから、ぼくだって君が好きなんだ。しかし、前もって云った通り、ぼくには妻もあるし、家庭もある。それは諦《あきら》めてくれてるはずだが……」

そう云うと、彼女は、

「それは分っています。でも、どうしてもあなたと一しょになりたいの。奥さんがいらっしゃるのですから、無理なことは十分承知しています。でも、三年でも、五年でも先でいいわ。わたしと一年間だけでも一しょに暮して下さい」

一体、どうしたんだ、と訊《き》いたが、彼女は容易に答えなかった。ただ、一年でも一しょになってくれ、とせがむばかりだった。

わたしは、こういう女の切迫した態度に圧倒された。それと、彼女にはわたしの妻に無いものがある。愛情が深くて親切だった。役人の娘として育った冷たい妻よりも、彼女のほうがずっと女らしい暖かさを感じさせた。むろん、良子と一しょに暮したほうが、女房とよりもずっと幸福なことをわたしは知っている。

わたしは遂《つい》に、期日のことは分らないが、一年ぐらいあと、何とか君の希望通りにしよう、と答えた。女は、うれしい、と叫び、わたしの身体にしがみ付き、到る所に口づけした。

「ねえ、その約束をほんとに信じていますわ。間違いないでしょうね？」

彼女は泪《なみだ》で濡《ぬ》れた眼をじっとわたしの顔に注いだ。あまり泣いていたので、顔中が腫《は》れたように真赤になっていた。こんなこともわたしは初めて彼女に見たのだ。

「大丈夫だよ」

と、わたしは答えた。いや、答えざるをえなかった。おそらく、大ていの男が、こんな場合わたしと同じような返事を吐くに違いなかった。

すると、良子は初めて自分の身を明かした。それも、何を聞いてもおどろいてくれるな、とか、わたしが嫌にならないでくれ、とか、さっきの約束を破ったら死んでしまう、とか、さんざん前置きをしてからだった。

「わたしには、実は主人がいるのです」

その言葉に、わたしは自分の耳を疑った。茫然《ぼうぜん》として女の顔と、その口もとをみつめていた。

「今まで隠していてごめんなさい。でも、あなたにはどうしても云えなかったのです。あなたが好きだからですわ。……いいえ、たとえ何でもなくても、きっとそれは云えなかったでしょう」

「その人は今どうしている?」

「おどろかないで下さいね。きっとね。そして、わたしを棄《す》てないで」

そうくどくどと念を押したあと、彼女はまた泪を流して、遂にその秘密を云った。

「主人はいま刑務所に入っているんです」

「えっ」

「そら、もう、そんなにびっくりして、変な目つきでわたしを見る!」

彼女は再びわたしの胸に顔をつけると、ぐいぐいとその身体で押してきた。

「分った。分ったよ。……で、一体、君の主人はいつ帰るんだ?」

「一週間後です。……今朝、仙台から手紙が来ました。午前十時にわたしに迎えにこいというのです」

わたしは口が利《き》けなかった。胸の中に強い風雨が吹き荒れていた。

「で、君は行くのか?」

「仕方がありません。もし、云うことを聞かなかったら、わたしは半殺しの目に遭いますわ」

「君の夫は、一体、どういう罪名で入ったのだ？」

「恐喝傷害です」

「なに？」

「わたしは知らないで結婚したのです。仲人《なこうど》がいい加減なことを云ったのを信じたのがいけなかったのです。今から五年前ですわ。わたしが十九の年でした。尤《もっと》も、その頃は、夫は家業の雑貨屋をやっていましたから、わたしも仲人口を信じていたのです」

　彼女は話しながら、子供のようにひくひくと声を詰らせた。

「結婚してから三カ月ぐらいはおとなしかったのですが、それからはときどき家を抜けて出ては夜遅く帰って来るのです。店のほうはわたしに任せきりにするようになりました。夫が博奕場《ばくち》に出入りすると知ったのは、半年ぐらいあとでしたわ。わたしはそれが分って、どんなにびっくりし、悲しんだか分りません。わたしが別れると云うと、夫は気違いのようになってわたしを殴ったり、蹴《け》ったりするのです。おれから逃げてみろ、生かしてはおかない、などと云って匕首《あいくち》を振り回していました」

「…………」

「では、博奕をやめてくれ、と云うと、それもできないのです。わたしはよほど逃げ出そうかと思いましたが、夫の脅迫が怕《こわ》くて、それもできませんでした。今から考えると、勇気がなかったのですが、年齢の若かったせいか、夫の暴力がどこまでも追跡して来るようで空怖《そらおそ》ろしかったのです。いいえ、夫は本当にそんなことをしかねない男です。その証拠に、博奕のために店が人手に渡ると、生活がすさみ、博奕場の貸金を取り立てに行って相手を威《おど》かし、匕首で刺したのです……」

わたしは、自分が真蒼《まつさお》になっているのが分った。

「それからどうした？」

「五年の刑を受けて仙台の刑務所に送られました。そのとき、夫は最後の面会で云いました。おまえがおれの留守に男でもこしらえたり、よそに逃げ出したりするようなことがあったら、生かしてはおかぬ。それだけはよく性根に刻んでおけ、と……」

「その五年の刑期が来たのか？」

わたしは喘《あえ》いで訊いた。

「一年早く釈放されるようです。わたしも思いがけない出来事です。わたしの不運は自分で作ったことながら、ほんとうに情けない気持ですわ。でも、あなたを得たから、わたしはそれでどんなに救われたか分りません。これが分って夫に殺されても、思い残すことはありません」

わたしはまた言葉がつづかなかった。

「でも、ほんとうは、わたし、もう少し生きたいの。まだ若いんですもの。そして、一年でも、半年でも、三カ月でもいいわ。あなたと毎日一しょに居られる日がほしいのです。……ねえ、わたし、一切の秘密を白状したわ。遅くなってごめんなさい。でも、今まではどうしても云えなかったの。どんなに胸が詰っていたか分らないわ。ああ、これで、苦しかったけれど、身体の中の重みが一ぺんに抜けたようだわ」

その夜の帰りの、わたしの気持のなんと憂鬱《ゆううつ》だったことか。ちょうど、満月に近い、十三夜ころの月が出ていた。例によってあたりの田園は蒼茫《そうぼう》として淡い光にぼやけ、木立の影は墨を塗ったように径《こみち》の上を潰《つぶ》していた。木陰から月光へ、月光から木陰への、あの変化のある愉《たの》しい武蔵野《むさしの》の夜が、このときほど忌《いま》わしく思われたことはなかった。

なんと自分はバカだったのだろうか。うかうかと、あの女にひきずられてここまできた。もう取り返しのつかないことになった。良子は真剣だ。自分が曖昧《あいまい》に答えた返事も本気に取っている。しかも、あの女のうしろには恐喝傷害という凶悪な亭主が控えている。一体、これからどうなることか。

良子は、夫の出所前に、わたしの探す隠れ家に入りたいと云った。しかし、執念深い夫は、刑務所に繋《つな》がれている間、妻が変心して行方を晦《くら》ましたとなると、必死になって追うだろう。当分は分らないにしても、いつかはその男が嗅《か》ぎつけてくる。——良子の夫は、きっと彼女を愛していたのだろう。だからこそ、逃げたら殺す、などと云って威かし、彼女を放さなかったのだ。世間と隔絶された刑務所に永いこと拘禁されていた間のことだけに、裏切られたとなると、それこそ怒りは二重にも三重にもなるだろう。それから、良子の相手がわたしだということも分ってくる。

そうなったら、わたしの将来はどうなるのだ？　凶悪犯の前科者は、わたしを匕首で追い回すかもしれない。わたしの家にも怒鳴り込んで来るかもしれない。良子を愛すれば愛するほど、その夫は金では承知しないものを持っているに違いない。このことが女房に知れる。女房の父親に分ってくる。妻はわたしから去るだろう。もとより、気の強い女だ。

この騒動はわたしの勤めている役所に知れぬはずはない。こういうことには絶えず耳を尖《とが》らせている連中ばかりだ。上役や同僚が少しの傷でも負えば、心の中で拍手喝采《かっさい》を送っている役人根性の奴《やつ》ばかりだ。凶悪犯罪を犯した前科のある男の妻とそのような情事を犯したとなれば、おれの出世もそれきりだ。岳父もおれから手を退《ひ》くだろう。

せっかく課長になったのに、これは何とした不運であろうか。わたしは、その夜は一睡もできないで苦しんだ。

三

わたしは、遂《つい》に彼女との未来よりも現在を択《えら》んだ。あと一週間、つまり、彼女の凶暴な夫が出所するまでに良子を処置しなければならないと決心した。

幸いなことに、まだ良子とわたしの間は誰も知っていなかった。彼女の近所の者さえ気付いていない。そのことは、わたしが良子に何度も念を押して確かめている。

駅で一しょになったり、電車の中で話したりした初めのころのことは何でもないのだ。そんなものはありふれた情景で、誰ひとりとして注意して見ている者はなかった。殊《こと》に、満員電車の中で彼女と話を交わしたなど誰が知っていよう。わたしは、この条件こそ最大に活用しなければならないと思った。現在のところ、彼女の交友関係や身辺からは、わたしという人物は浮び上っていないのである。

あとは殺害方法だが、これはいろいろなやり方が考えられた。たとえば、薬を呑《の》ませるとか、首を絞めるとかが最も簡単であろう。ただ、刃物などは用いてはならない。

これは今までの犯罪例で最も欠陥が多い。

良子に薬を呑ませたり、首を絞めたりするなら、その機会はいくらでもあった。彼女は、何でもわたしの云う通りになるので、青酸カリを入れたビールを呑ませるくらいは、いとやさしいことだった。また、絞殺《こうさつ》するにしても、彼女はわたしの前に全く無防備に横たわってくれる。ただ、問題はその場所だった。

初めは、彼女の家の中にしようかと思ったが、考えてみると、これもかなり困難なことが分った。女ひとりの世帯だし、隣近所も遠いから絶好の条件のようではあるが、警察が動き出した場合、その時刻に付近を通った者を虱《しらみ》つぶしに聞き込みに回るだろう。ふだんはそうでなくとも、そんな場合は目撃者は努めて記憶を呼び戻すものだ。

あの小径《こみち》は寂しいところだが、そこを出た往還は車も走っているし、疎《まば》らだが人も歩いている。あの農家の角からこういう男が出て来た、というような証言者がないでもない。

また、えてして、そういう場合は不幸な偶然が起るものだ。彼女を殺して家を出た拍子にひょっこりと前の道を歩いている人と顔を合わせたという場合もあり得ないではない。こういう危険は絶対避けなければならない。

では、どうするか。——

わたしは、結局、彼女を遠い場所に連れ出して、そこで殺すほかはないと思った。そうすれば、どこの誰とも分らない犯行になるだろう。特に、そのためには、辺鄙《へんぴ》な地方に行く必要がある。

わたしはいろいろと考えた末、結局、信州にその場所を択ぶことにした。あの辺なら東京から一晩泊りぐらいで帰れるし、山も多いから適当のようである。

わたしは、長野県には多少の知識があった。学生のころ山登りをしていたから、土地の記憶があった。長野県の地図を買って来て、ひそかにその場所を調べた。

東京を朝早く発《た》って現地に着き、そこで暗くなってから彼女を殺し、その晩の汽車で帰ってこれるコースこそ、わたしの狙《ねら》う第一の条件だった。旅館に泊ることは、当局の捜査があるから危険である。

山中の犯行だとすると、死体発見には少なくとも二、三日は要する。都合よくいけば一週間くらいは分らないですむだろう。だから、その晩の汽車で帰って来ても、駅員や車中の客には記憶がない。だが、旅館に泊ったとなれば、宿帳はもとより、番頭や女中の記憶でわたしという人物が手繰り出されるおそれがあった。

そういうことを頭に入れて調べてみると、やはり中央沿線ということになった。汽車の時刻表その他を睨《にら》み合せると、せいぜい遠くまで行って松本市が行動の極限だった。その手前というと上諏訪《かみすわ》辺りになるが、この辺は人口が密集している上、温泉地だから東京辺りから遊びに来る人が多いのだ。これは最も避くべき状態であった。結局、わたしは富士見駅を択んだ。

小さな駅だと客が少ないから、駅員の記憶に残る惧《おそ》れがある。大きな駅だと東京方面からの客が多いからどんな知人に出遇《であ》うか分らない。そういう点で、富士見駅は手ごろといえた。

この駅の乗降客はそれほど多くなく、少なくもない。近くには八ケ岳があるから、あの原生林のなかに入ってしまえば、死体の発見が早急に起ることはない。それに、富士見は高原療養所やハイキングの場所もあるから、男女伴《づ》れで歩いたとしても町の人に特に注意されることはないはずだった。

わたしは、この計画を実行した。その日は日曜日であった。――犯行日を日曜日にするか、ウィークデーにするかは選択にむずかしいところだ。日曜日だと人出を予想されて危険だったが、あとで警察側に調べられたとき、普通日だったら、当然役所が欠勤になるからすぐに疑いをかけられる。わたしは休日を択《と》った。

土曜日の晩、わたしは良子の家に行って、明日は信州に遊びに行こうと誘った。これは彼女の夫が仙台の刑務所から出てくる三日前である。

むろん、彼女は喜んだ。

「だがね、東京から二人で一しょに行くのは誰に見られるか分らないので、行きがけは別々の行動にしよう。君のほうが先に行って、富士見駅で待つのだよ。ぼくは一汽車遅れて行くからね」

彼女は、それなら別々の車輛《しやりよう》に乗っていればいいと主張したが、用心を重ねるため、わたしの考え通りを彼女に納得させた。

あまり早く向うに行きすぎてもまずい。なぜなら、夜になるのを待つため相当時間をつぶさなければならない、そのために二人伴れで長く歩くと、人目につきやすいからである。理想的には、二人の落合う時間は夕方のほうがいいが、それでは彼女に妙にとられそうである。

時刻表を調べて、彼女は二時半ごろに、ひと汽車遅れたわたしは四時過ぎに、それぞれ富士見駅に着くことにした。尤《もつと》も、準急はこの駅に停らないから、普通列車によるほかはない。しかし、このほうが東京から乗る直行の客が少なくて、かえって安全と思った。

わたしが富士見駅に着くと、良子は待合室の隅に目立たないような恰好《かつこう》で坐《すわ》っていた。眼で合図すると、彼女は黙ってうしろから従《つ》いて来た。わざと脚を速めて、なるべく彼女との間の距離をとることにした。この気持が彼女にも分ったとみえ、急いでわたしの横に並ぶことはなかった。

わたしは西側の踏切を越えた。商店街が少なくなり、家数も減った。このあたりは、茅野《ちの》の町と同じように、寒天などを造っている家もあった。

わたしは初め八ケ岳の方向に行くつもりだったが、裾野《すその》があまりに渺茫《びょうぼう》としすぎていて、ふたりきりで歩くには、どうにも注意をひきそうで仕方がなかった。そこで、急に計画を変えて反対側の西に行くことにしたのである。

しばらく行くと、路《みち》は坂にかかり、やがて白樺《しらかば》の林や、屋根に石を載せた村落が見えてきた。だが、かなり行くと、その部落も遠くに見えるだけで、前面にはまだ残雪を載せた釜無山《かまなしやま》が障壁のように聳《そび》えていた。

「少しハイキングしよう」

と、わたしは云った。良子は無心に喜んでいた。

ほんとうなら、わたしはあらかじめこの土地に来て、地形の下調べをする必要があった。だが、勤め人の悲しさは、その時間がなかった。殊に、彼女の夫が仙台刑務所から出所してくると聞いたのは、つい先日だから、あとの余裕がない。それで、彼女とさものん気そうに歩きながらも、わたしの眼は絶えず適当な地形を探していた。

坂道を登りきると、そこは平坦《へいたん》な台地となって、一本の路が伸びている。また別の部落が現われた。しかし、自転車で二、三の農夫が走っている以外、歩いている人の姿はなかった。わたしはなるべく部落を避けて山のほうへ向った。急な勾配《こうばい》になる。そこは本道と離れた野路となっている。

「どこへ行くの?」

「この丘の頂上に出てみれば、きっと展望がいいに違いないよ。脚が疲れたから、どこかで休もう」

実は、そのこんもりと茂った山林がわたしの気に入ったのだ。遠くから見ると、いかにもよく茂っていて、付近の百姓以外、そこに入り込むことはなさそうに思えた。だが、そこまで登ってみると、山林は意外に疎らで、近くには畑があって、農夫が働いていた。わたしは、その丘を越えて、もう一つづきの丘陵に行かねばならなかった。ちょうど、そのころから陽が高い山の陰に入って、あたりは早くも夕昏《ゆうぐ》れのようにうす暗くなりはじめていた。

四

四、五日の間、わたしは新聞を丹念に読み耽《ふけ》った。いつもは大きな記事だけを読んでいたのに、今度はどのような短いコミ記事までも眼をさらした。しかし、ひとりの女が行方不明になったという記事も、富士見高原の山林中で絞殺《こうさつ》死体が発見されたという報道も見当らなかった。良子はまだ、あの白樺《しらかば》と灌木《かんぼく》の林の中に、ひっそりと身を横たえているに違いなかった。

まもなく彼女の肉体は崩れはじめ、その腐汁は徐々に土の上に流れて地下に沁《し》み込んでゆくことであろう。わたしは、その崩れてゆく彼女の肉体から、白い骨が少しずつむき出されるさまを想像した。

五日経《た》った。――

すると、わたしは別な現象を怖《おそ》れねばならなかった。良子の夫が仙台刑務所から東京に来ているからである。

彼女の夫は良子の失踪《しっそう》を知って、忿怒《ふんぬ》に燃えているに違いなかった。まさか女房が殺されているとは予想もしないだろう。獄中の留守に家出したとしか信じないはずだ。もとより、彼は妻から嫌われていることも承知していたようだから、永い留守中に妻が別な男のもとに走ったことを不自然でなく想像したであろう。わたしは、その恐喝傷害の前科を持つ男が血眼になって妻の逃げた先を捜しているのが眼に見えるようだった。

彼は近所の人に問い合せたり、良子の会社に押しかけて様子を訊《き》いたりしているに違いない。だが、どこに行っても、そこにわたしという人間が浮び上がってくるわけはなかった。良子とわたしの関係は、天地の間に誰一人として知らないことだ。このことは警察の捜査についてもいえる。つまり、被害者の周辺にはわたしという人間が存在していないのである。これでは真犯人の探しようもあるまい。

死体発見の新聞記事と、彼が来るかもしれないという忌《いま》わしい期待とは、日数が経つにつれて次第にわたしの気持からうすれて行った。すでに良子を山林の中で絞めてから十日を過ぎている。油断はできないが、なんだか、もう大丈夫だという気がした。

わたしは毎日役所に出た。課長の椅子《いす》はまことに愉快であった。みんなは、わたしが出世コースを順調に歩くものと期待している。人の態度も違ってきた。しかし、今度は課長どうしという新しい敵ができた。だが、わたしは怯《ひる》んでいない。彼らに打ち勝つだけの自信はあった。

仕事に対する熱情と、闘志《ファイト》に恵まれているということは、何と幸福であろう。この現在をわたしは金輪際《こんりんざい》放してはならないのだ。思えば、わたしの僅《わず》かな過失は取返しのつかない破局に臨ませたものだった。いま、これからわたしは完全に逃げ切ろうとしている。

相変らず新聞にはそれらしい発見の記事は出なかった。良子の夫も現われない。彼女の亭主がわたしの前に来ないのは当然として、良子の死体発見のことが新聞に出ないのはどうしたことだろうか。今度は、徐々にそれが気懸りになってきた。

彼女は、まだあの草むらのなかに、人の眼に触れることなく横たわっていると思うのだが、そうでない場合も考えねばならぬ。誰かが、彼女の死体を発見し、土地の警察が動いているかもしれないのだ。しかし、それは長野県の出来事だから、東京の中央紙には出ないのだろう。殺人事件としてもありふれている。

ただ、他の土地で絞殺死体が発見された場合で東京の新聞に出るのは、その被害者の身もとが東京の人間だと分ったときだ。良子の場合は、それはなかった。彼女の持物の一切から、彼女の身もとの分るようなものは、わたしが悉《ことごと》く剝《は》ぎ奪《と》っているからである。つまり、良子はどこの女とも知れないままに死体となっているのである。

わたしは夢も見なかった。一度だけ、富士見駅に降りて暗い待合室に彼女が立ち上った情景を見たことがあるが、夢はそれ以上に発展しなかった。恐怖はなかったのだ。不安も潜んでいなかったのだ。わたしは、今でもあの殺人をそれほど大げさなこととは考えていない。いわば、あの女を殺したのは自分の身を護《まも》るためだったからだ。つまらない女と引換えに、この薔薇色《ばらいろ》に輝く将来が滅茶滅茶《めちゃめちゃ》になってはならない。

しかし、気にはかかった。その後の事件の様子が知りたいのは人間の心理である。だが、のこのことそれを確かめに富士見に出掛けるわけにはいかない。危険この上ないことだ。

わたしは一策を思いついた。課は違うが、わたしの官庁のある部署には全国の新聞が揃《そろ》えられてある。地方紙は主要なものは必ず保存されていた。だが、これも用事のないわたしが、特に、長野県の新聞を貸して下さい、などと申し入れたら、係に妙に思われるに決っている。できるだけ、人に不審を与えないことだ。

遂《つい》に妙案が浮んだ。わたしは、自分の家に雇う女中に、ある代理店を通じて地方紙に広告を出したが、それが掲載されているかどうかを見たいという口実を思いついたのだ。

その長野県の新聞は、今月の初めから綴《つづ》り込んであった。

わたしは、あの日曜日の翌日からの新聞から検《しら》べはじめた。無論、月曜日は出ていない。当然だ。早すぎる。火曜日にも出てなかった。順々に繰って行って、今日の日付の最後まで見たが、遂に山林中から女の死体発見、という見出しはなかった。

わたしは安心した。やはり良子は、あの土の中におのれの肉体を液体化しつつあるのだ。そのうち、それは悉く洗い流されて、白い骨だけが残るであろう。あの場所は、じめじめした地面だった。陽当りも悪い。上に一ぱい樹《き》が茂って日光を遮っている。そういう場所は腐りが早いと聞いている。

しかし、わたしはもう一度新聞をよみ直そうと思った。うっかりと見逃しているのかもしれないからである。二度目を繰った。やはり見当らない。大きな安堵《あんど》がわたしの胸を占領した。

しかし、こうして地方紙の綴りを読んでみたが、中央紙と違ってなかなか面白いものだと思った。わたしは改めて一読者の気持になり、もう一度目ぼしい記事を読みはじめた。ちょうど、昼休みの時間で、仕事の手もあいていた。

そのとき、ふとわたしの眼にふれた小さなコラムがあった。中央紙でもやっているが、社会面の左隅にある、くだけた囲みの記事だ。

「△三日前、上諏訪市××町の喫茶店『エルム』に現われたサービス嬢がいる。二十二、三歳くらいで、おとなしいお嬢さん（?）だ。実は、このサービス嬢は『エルム』に現われる前の記憶が全くない。

△喫茶店のマダムの話によると、このお嬢さんは四日前に突然同店に訪れて、わたしをここで使って下さい、と頼みこんだという。マダムがいろいろ事情を聴くと、

どうやら記憶喪失症にかかっているらしい。現在自分の来た方角も分らなければ、どこから汽車に乗って来たかも知っていない。ただ、中央線の途中の駅から乗って、ふらふらと上諏訪《かみすわ》駅に降り、眼についた同店に飛び込んだものらしい。
△マダムは、当人の記憶が蘇《よみがえ》ってくるまで、しばらく自分のうちで『保護』する、といっている。言葉は訛《なま》りのない標準語なので、多分、東京方面からと思えるが、いま、このお嬢さんには、マダムがルミ子さんという仮りの名前をつけて店で使っている。
△ルミ子さんは、いま、来る客にコーヒーを出したりして、明朗なサービスぶりを発揮している。マダムを頼りにしているが、ルミ子さんの記憶がいつ蘇るか、目下、付近の話題の中心となっている。」

わたしは雷に打たれたようになった。

しばらくは活字から眼が離れなかった。そのくせ視覚が霞《かす》んで字がぼやけた。胸に激しい動悸《どうき》が搏《う》っている。

何ということだ。良子は生き返っていたのか。

わたしは、そんなはずはないと、自分の心に何度も云《い》い聞かせた。この手で彼女の頸に紐を捲き、この腕の力で絞めつけたのだ。死の最期を象徴する痙攣もたしかに見届けている。それが生き返ったとは！

わたしは、このコラムの記事にあるルミ子という女が良子であることを疑わなかった。記憶喪失は、わたしの絞殺によるショックによって惹《ひ》き起されたのであろう。

絞めたのは夜だった。おそらく、明け方の寒さと夜露のために彼女は息を吹き返したとみえる。それからふらふらと歩いて、わたしと歩いていた路《みち》を逆に戻り、富士見駅から汽車に乗ったのであろう。彼女が富士見駅まで路を間違えずに来たのは、記憶喪失ながら、どこかに微《かす》かな印象が残っていたのかもしれない。それは彼女が仮死の状態になる直前のことだからだろう。

しかし、富士見駅には来たが、彼女は上りと下りとを間違えた。いや、区別がつかなかったのだ。彼女はいい加減な切符を買い、下りに乗った。汽車は上諏訪駅に着く。この辺で乗降客の一ばん多い駅だ。彼女は、つい、つられて人のあとから降りる。だが、記憶喪失者でも現時点では普通の人間だ。彼女の困惑は、すぐその日からの生活にあったに違いない。宿屋へ女ひとりで泊るのも危険だと察したのかもしれない。女がすぐに生活のできる仕事といえば、喫茶店のサービス嬢ぐらいだ。多分、その「エルム」という喫茶店の表には「女子従業員募集」といった貼紙《はりがみ》が出ていたのかもしれぬ。彼女は、それに眼を惹かれてふらふらと店の中に入り込んだ。——

わたしのこの推定にはほとんど誤りはなかろう。

問題は今後だ。良子が永久に記憶喪失に陥っているとは思えないからである。いつかは彼女の記憶が呼び戻される。怕《こわ》いのはそのときであった。

わたしは心臓が苦しく搏った。午後からの仕事が手につかなかった。部下から何か訊かれても、極めて拙《まず》い答え方をした。事実、部下は妙な顔をした。日ごろ俊敏だと思っていた課長が、トンチンカンなことを云うと思ったに違いない。

部長にも呼ばれた。いろいろ相談を受けたが、部長はしまいには気の毒そうにわたしの顔を見て、君は疲れているね、顔色が悪い、早く家に帰ってゆっくりしたまえ、と云った。

わたしはこめかみに両手を当ててあたりを見回した。わたしの席は、この課の中央にある。課長補佐や係長が、いくつにも並んだ机の列の頭にうしろ向きに坐《すわ》っていた。そこから両側に多数の課員が熱心に仕事をしている。

ああ、わたしはこういう快適な地位から離れなければならないのか。

逮捕の状況が新聞に出る。しかも殺人犯だ。あらゆる人の驚愕《きようがく》と嘲笑《ちようしよう》とが泛《うか》んでくる。耳には、わたしをこころよからず思っている仲間の笑い声が遠雷のように轟《とどろ》いてくる。……

五

幸い、翌日は日曜日だった。妻には至急に近県に旅行する用事ができたと云って出た。

上諏訪《かみすわ》駅に着くまで、わたしはまだ本当の決心がついていなかった。あの新聞のコラム記事は、たしかに良子と確信するが、あるいは、違うかもしれないという疑いも残っていた。疑いというよりも、むしろ希望である。だが、年齢の点といい、その店に現われた時期といい、間違いなく良子であろう。その首実検をしなければならぬ。

そうなったときの第二の目的があった。むしろ、このほうが計画的なのだ。

良子の記憶が蘇《よみがえ》る前に、彼女をその店から連れ出さなければならないのである。つまり、わたしは一つの不発爆弾を抱えているようなものだった。これが破裂したが最後、わたしの身上は木端微塵《こっぱみじん》となる。その破裂がない前に、わたしは適当にこの不発爆弾、いや、時限爆弾の処理作業を行わなければならなかった。

富士見駅を通過したとき、わたしの眼は西側の山に向けられた。そこは汽車の窓からは見えなかったが、あの地点に行くまで良子と一しょに歩いた峠道がはっきりと見えた。あのとき、もう少し彼女の死を確認していたら、こんな苦労はなかったのだ。

　上諏訪駅に下りた。なるほど、ここでは乗客がどやどやと降りる。わたしは、その流れのなかに入ったが、おそらく良子もこうしてふらふらとこのホームに降りたに違いなかった。改札口を出る。駅前の広場を少し迷ったが、わざわざ「エルム」の喫茶店の所在を訊《き》くのも、あとで怪しまれそうなので見当もつけずに歩いた。上諏訪の町は駅前から南のほうへ一本通りになって、左右に繁華街が作られている。

「エルム」という喫茶店を見つけるのに苦労はいらなかった。大きな本屋がある。その隣が山荘ふうな造りの「エルム」になっていた。

　わたしは、その前を一度素通りした。窓ガラスの反射で店内の様子は分らない。この窓ガラスはどこの喫茶店にもよくあるように三段になって開閉できるようになっている。その上段のガラスがやや外に向って開き、内側の様子がその隙間《すきま》からちらちら見えた。

　わたしは通りすぎてから元に引返した。このとき、ガラス戸の隙間から女の顔の一部が僅《わず》かに見えた。

　まさしく良子だった。予想はしていたものの、わたしは動悸《どうき》が高鳴りした。

　やっぱりあの女は生き返っている！

——どうしたものか。

わたしの考えていた予定では、そこに入って彼女と会ってみることだった。もし彼女の記憶喪失が本当なら、彼女はわたしを見ても知らぬ顔をしているはずである。しかし、ここに一つの危険があった。それは、良子の記憶喪失がわたしの顔を見てふいに蘇ることだ。あるいは過去を取り戻しかけることである。

死の衝撃で記憶を失った女だが、わたしという男は、彼女にその衝動を与えた人間なのである。彼女の愛人だし、殺人犯なのだ。

この二つの理由で、わたしの躊躇《ちゆうちよ》はつづいた。その店の前を何度往復したかしれない。幸い、通りはひどく賑《にぎ》やかなので、同じ人間が喫茶店の前をうろうろしていても、別に目立つことはなかった。わたしは隣の本屋に入って本を立ち読みするふりをしながら、思案した。あるいは、これから実行しようとすることに勇気を求めた。

このとき、わたしは「万葉集」の本を偶然手にとったのだ。「夕闇《ゆふやみ》は路《みち》たづたづし月待ちて……」が眼にふれたのである。わたしは思わず、良子の家に往復するころを想《おも》ったものだった。

その女がすぐ隣の喫茶店に居る。

わたしは万葉集を読んではいられなかった。良子を早く何とかしなければならない。

わたしはまた何度か「エルム」の前を往復した挙句、心を決めて、その店の中に入った。いらっしゃいませ、と男の声がした。わたしはわざと顔を伏せて隅っこのテーブルに着いた。

こわごわと眼をあげてみると、良子がカウンターから水の入ったコップを受取っていた。入って来たわたしという客に出すためである。やっぱり良子だ。着ているブラウスもそっくりだった。ただ、上に羽織ったカーデガンは、この土地に来てから買ったものだろう。彼女はうしろ向きでコップを盆に載せると、こちらに向き直り、わたしの前に運んで来た。

店の中は、コーヒーを淹《い》れる白服の中年男（おそらく、これがこの店の主人であろう）と、十八、九ぐらいの女の子とがいるだけだった。客は、別な隅に登山姿の青年が三人で地図をひろげて話し合っているだけだった。

わたしはこのときほど胸を騒がしたことはない。良子は真《ま》っ直《す》ぐにこっちへ来る。わたしはそれを眼の端に入れただけで、まだ正視ができなかった。

「いらっしゃいませ」

紛れもない良子の声だ。眼の前にコップを出す。

「何にいたしましょうか？」

さんざん聞き馴《な》れている同じ声だった。わたしは勇を鼓した。

「コーヒーを下さい」

この声も彼女には聞き憶《おぼ》えがあるはずだった。事実、良子は、姿が見えなくても声だけであなたとすぐ分るわ、と云《い》ったものだった。

「かしこまりました」

良子は平然としてカウンターのほうに行く。顔はまだ正面から見合わさなかったが、声は彼女に通じなかったのだ。

わたしは危険を予想して、今日は別な洋服で来ていた。それで彼女に識別ができないのかと思ったが、記憶喪失はどうやら本当らしいと思った。安堵《あんど》したが、まだ不安はあった。

主人がコーヒーを淹れた。彼女はまたそれを運んでくる。わたしは今度こそ正面から彼女を見た。彼女もわたしを見た。息苦しい数秒間がわたしの身体を襲った。手脚がこちこちになっていた。

彼女は少しほほえんでいた。それもわたしという愛人に見せてくれていた、あの微笑だった。今にも、あなた、と呼びかけそうに思える。わたしはたじろいだ。思わずこちらから声をかけそうだった。

しかし、危うく踏みとどまった。良子は平気でわたしの前にコーヒー茶碗《ちやわん》を置き、砂糖壺と、ミルクの入った容器をならべた。

その動作のよそよそしいことは、まさにわたしにとって驚嘆だった。これが記憶喪失というのか。いま並べている手つきといい、白い腕といい、何度となくわたしと握り合い、抱き合ったものだった。横顔も、その首筋も、胸のふくらみも、わたしが悉《ことごと》く熟知した箇所だった。

彼女は軽く頭を下げて向うに行った。それから、ミュージックボックスの傍にある椅子《いす》に腰を掛けて、そこの主人と短い話を交わしていた。椅子から垂らした片脚をぶらぶらさせている。わたしのほうは一度も見なかった。全く知らない客と思っているらしい。

わたしはコーヒーに手をつけるのも忘れて、茫然《ぼうぜん》と彼女のほうを見ていた。そのやうす暗いコーナーには、彼女の白い顔と、組み合せた手とがあった。カーデガンの下のブラウスも、スカートも、わたしがあの山中に一しょに行って、わたしの身体の下でもがいていたものなのだ。

わたしはコーヒーをゆっくり喫《の》んだ。もう、良子がわたしという人間を全く認識していないことを知った。彼女は別の若い女と小声で話していた。若いほうが話しかけると、彼女は眼もとに微笑を泛《うか》べ、しきりとうなずいていた。

なんたることだ。これは一体現実なのか。

わたしはコーヒーを喫み終ると、手をあげて彼女に合図した。彼女は素早くそれを認めてやって来たが、彼女にはわたしという人間は存在してなく、客が眼に映っているだけだった。

「すみませんが、紅茶を下さい」

わたしは多少声が震えていたようだ。

「かしこまりました」

彼女はちらりとわたしの顔を見た。わたしは瞬間呼吸《いき》を呑《の》んだが、その眼差《まなざし》は、少し怪訝《けげん》そうな、つまり、コーヒーにつづいて紅茶をすぐ注文する客を珍しがっているだけの表情であった。

気味の悪い話だ。彼女はわたしの前に平然と紅茶の茶碗を置いている。わたしは緊張のあまり溜息《ためいき》が出ていた。

六

わたしは、彼女を何とか外に連れ出す方法はないかと思案した。そして、遂《つい》に一つの工夫を考えた。

わたしは手帳を破って走り書きをした。次に良子のほうに向って、

「すみません。ちょっと来て下さい」

と手招きした。良子は無表情で「客」の前に歩いて来た。少しも動じない顔だ。

「少し金を両替えしてくれませんか」

と、わたしは財布の中から五千円札を出した。

「かしこまりました」

良子はカウンターに行って、それを千円札五枚に替えて持って来た。そのとき、わたしは素早くたたんだ紙片を彼女の手の中に押し込んだ。はじめて良子の顔に人間らしい表情が出たが、それは思いがけない行動をした客に見せた単純なおどろきだけだった。

わたしはそこを出て駅のほうに向った。広場の片隅に立って煙草《たばこ》を吸った。街角から良子が現われるのを期待した。あの紙片にはわたしはこう書いておいた。

「あなたの前歴を知っているのはぼくだけです。あなたを元の世界に返したいと思います。これに承知だったら、駅の前に立っているわたしの所へすぐに来て下さい。……但《ただ》し、このことはエルムの主人夫婦には云《い》わないで下さい。なるべく早くあなた

を元の世界に返したいから、わたしと一しょに東京に行きましょう。東京こそあなたの以前の生活です」

わたしは、その文句の効果に半々の期待をかけていた。彼女はあの言葉を信じて来るだろうか。いやいや、良子は自分の記憶喪失以前の生活をどんなに知りたがっているかしれないのだ。そこに返ることをどのように願望しているか分らない。その点では、この文句に惹《ひ》かれて一度は必ずここに来ると思った。

しかし、その反面の難点がある。それは、彼女が不安を起して、このことを「エルム」の主人夫婦に報《し》らせることだった。そうなると成功はおぼつかない。たとえここに来ても、そのマスター夫婦が介添でいては何にもならないのだ。わたしは遁《に》げるほかはない。

成功か、失敗か、両天秤《てんびん》を心に賭《か》けながら、わたしはどきどきして立っていた。

遂に良子が来た。よく見ると、彼女ひとりだった。

それでもわたしは警戒を怠らなかった。彼女のうしろから店の者が尾行して来ている場合があるからである。良子はわたしの姿を見ると、お辞儀をした。手には何も持っていなかった。もともと、彼女には荷物など無かったはずだ。あのときのハンドバッグは、わたしが身許《みもと》の発見をおそれて持ち去っている。

尾行がないと分ってわたしは、この賭けは成功したと思った。

「あの……手紙を読みましたが、本当でしょうか？」

良子はわたしの傍に来て首をかしげた。眉《まゆ》を少し寄せている具合など、前からわたしの熟知したものだ。

「ぼくはびっくりしたんですよ」

と、わたしは他人に云うように云った。

「あなたのことが出ている新聞を東京で読んだんです。ですから、もしやと思って来たのですが、やっぱりあなたでしたね？」

「まあ」

彼女は眼を一ぱいに開いた。その眼でみつめられてわたしも怯《ひる》んだ。なんだか、わたしという人間を良子が見破って演技しているような気がしてならなかった。

「では、わたしは東京に居ましたの？」

「そうです。しかも、ぼくの近所です」

「お願い。ぜひ、そこに帰して下さい」

彼女はわたしの想《おも》った以上にそれに熱心だった。

「どうしても思い出せないんですの。自分で自分が気味悪いくらい。そこに帰ったら、きっと、自分の前の生活が蘇《よみがえ》ってくると思いますわ。ぜひ、連れて行って下さい」

「そうしましょう。だが、エルムのほうはどうします？」

「今から行って、ママに礼を云ったり、断わって来たりしますわ」

「それは困る」

と、わたしは強く云った。

「なるほど、エルムのママにはあなたも世話になったかもしれない。しかしね、わたしは、記憶喪失後の人間関係があなたに無かったほうがいいと思うのです。あなたはここではただの旅行者として通ったと思って下さい。それに時間が無い。ぼくを信用するなら、すぐに一しょの汽車に乗りましょう」

彼女の顔の上に激しいためらいが起っていた。

「そうでしょう？　あなたがママさんにそれを云う。すると、ママさんはそれを近所の人に云いふらすでしょう。あなたの身許が分ったとね。すると、それは忽《たちま》ち新聞記事になる。物見高い人間が、わざわざ東京まであなたを見に来るかもしれませんよ。どうです、そうなる状態が好ましくないことは分るでしょう？」

わたしが説得につとめたので、彼女もやっとうなずいた。

帰りの汽車は奇妙な道中だった。わたしは自分の手で絞めた女と一しょにここに居る。しかも、ふたりの間は他人行儀だった。彼女は遠慮がちにわたしの座席の横に竦《すく》んでいた。わたしは彼女に弁当を買って与え、茶を買って来ては呑《の》ませた。彼女は、そのつど丁寧な礼を述べた。このとき、はっきり彼女の白い咽喉《のど》を見たが、索条のあとはなかった！

ああ、なんたることだ。わたしと良子との間は、完全に振り出しに戻ったのだ。わたしが東京郊外の駅前で彼女に話しかけ、混み合うラッシュアワーの電車の中でも言葉を交わした、あのときの状態に再び戻ったのではないか。

わたしは奇妙な気分になった。彼女の顔も手も、わたしがさんざん自分の胸の中に抱いたものだが、その同じ顔が初対面の男に対しての羞恥《しゅうち》と遠慮とに満ちている。しかし、それは大そうわたしに新鮮に見えた。わたし自身でさえ彼女と愛欲生活を過し、その挙句の果てには、いま汽車の窓から見えている富士見の山で頸《くび》を絞めたことなど嘘《うそ》のように思えてならなかった。

さて、今後の処置である。

実は、わたしは良子を東京の近くに連れて行って、またどこかで抹消《まっしょう》してしまうつもりだったのである。わたしは、自分がもう一度、彼女の首を絞めたとき、その衝動から彼女の記憶喪失が一瞬に醒《さ》めるような場面さえ想像していたのだ。が、二度目の殺人がいかに不可能であるかが、東京が次第に近づくにつれて分ってきた。わたしには、も早、再び山中に彼女を曳《ひ》きずり回すほどの気力はなかった。が、何と云ってもわたしのおどろきは、彼女から受けた奇妙な新鮮さだった。

甲府近くから日が昏《く》れてきた。わたしは急に決意した。

「ここで降りましょう」

「あら？」

彼女は一瞬ぎょっとなったようにわたしの顔を見た。

「わたくしは東京に居たんじゃなかったんですか？」

「とにかく降りて下さい。それから、よく話します」

甲府駅で降りると、駅前に並んでいる温泉場の客引の云うまま、わたしは旅館までのタクシーに乗った。

あとから考えてみると、彼女がこのように易々としてわたしの云うことを聞いたのは、どこかにわたしという人間に対する親愛の潜在意識があったのかもしれない。つまり、識別はできなくとも、彼女の意識の底には、わたしに寄せた、あの愛情が何らかのかたちで残っていたと思う。そう解釈しなければ、はじめての男（つまり、記憶喪失後の彼女にとってはそうなのだ）の云うことに易々として従うはずはない。

——二日後、わたしは良子を川崎市内の或《あ》る目立たないアパートに置いた。

それは、これまでとは違った新しい良子の魅力にわたしが完全に捉《とら》えられたからだった。自己の前半生を喪失している女は、ただひたすらにわたしに縋《すが》りついた。だが、それは記憶喪失前の彼女とは完全に違っていた。彼女の愛情の求め方も、愛撫《あいぶ》の反応も、生活態度も、すべて以前の良子ではなくなっていた。言葉つきも違う、動作も違う、完全によく似た別の女がわたしの前に現われていた。

わたしは彼女を棄《す》てることができなくなった。

何よりもありがたいことは、彼女はわたしの身分を知らない。わたしは名前も、勤め先も偽っていた。それで、も早、彼女から同棲《どうせい》とか、結婚とかを迫られる必要はなかった。また彼女も含めて、わたしは彼女にあの忌《いま》わしい夫がいるということを考えなくてすんだ。も早、そういった悩みを持った以前のめそめそした良子はそこに無かった。あるのは、新鮮な、生き生きとした、しかもわたしには最初の女と同じであった。断わっておくが、この二度目の愛情は、彼女を殺しかけたわたしの贖罪《しょくざい》ではない。

わたしが元の、あの武蔵野《むさしの》の名残りのある家に彼女を戻さなかったのは、第一には、彼女の夫が戻って来ているという怖れからだった。しかし、それだけではない。もし、彼女をあの家に戻すとなれば、永い間生活に馴染《なじ》んだ古巣がそこにある。そのために、どんなきっかけから彼女の記憶がふいと戻るかしれないからである。

川崎市に移したのは、彼女の夫の追跡を逃れるためでもあったが、一つはわたしとの関係をなるべく周囲に分らせないためでもあった。

しかし、ここでは武蔵野のときとは違って、近所の眼はあった。が、それも問題ではない。わたしの身分が知れるということはまず無いであろう。ただどこかのちょっとした会社の課長クラスの人間が、愛人のもとに通って来ているくらいにしか思うまい。わたしは、そのアパートの出入りに夜を択《えら》んだ。

良子は初めのうちこそ、ここが自分の元の生活だったのかと疑った。どうしても憶《おぼ》えが無いというのだ。だが、その疑問も新しい恋人であるわたしへの愛情の前にはうすれてきた。

「幸福だわ」

と、彼女は云った。

「わたしの前身がどんなものであっても、もう知りたいとは思わないわ。ここに居るのは現在のわたしよ。あのどこからともなく上諏訪《かみすわ》の町に迷い出たとき、わたしは生れたのよ。仕合せだわ。もう何も知りたくないわ。むしろ、過去の不幸な記憶を一ぱい持っているほかの人が可哀想《かわいそう》なくらいだわ」

彼女には、当分、記憶喪失は癒《なお》らないだろう、とわたしはみた。一生、このままかもしれないとも思った。

わたしは一カ月ほど、彼女のアパートに通った。

あるとき、わたしは東北方面の視察出張から東京に帰った。すぐ、その足で川崎の良子のアパートに向った。

良子は居なくなっていた。——

七

それから二年経《た》った。——

わたしは同僚との派閥争いに敗《ま》けた。つまらない部下の手落ちの責任を負わされ、それを口実に他の部へ左遷《させん》された。そこは地方公共団体と密接な関係のある部だった。

その年の早春、わたしは木曾《きそ》地方に出張した。土地の公共団体が経営している或《あ》る事業を視察するためだった。実のところ、こういう任務はあまり好みに合わない。出世コースから一時的でも外されたという思いは、美しい山川を見ても決して心愉《たの》しいものではなかった。だから、その視察も、いい加減なことで切り上げることにした。

喜んだのは土地の関係者で、わたしが故意に粋《すい》を利《き》かしてくれたと思ったらしい。

「課長さん、視察のほうが案外早く済みましたから、これから福島の町の料理屋に繰り込んで、旅情を味わっていただきとうございます。……いいえ、もう、その準備も出来ておりまして、みんな手ぐすね引いてお待ちしております」

「ぼくは君たちの肴《さかな》になるわけだね？」

「課長さんはお口が悪い。だが、なかにはそういう不心得者もおるかも分りませんね。まあ、今晩は土地の芸者の正調木曾節でもお耳に入れとうございます」

視察場所と、福島の町とはかなり離れていて、車で一時間ぐらいはかかる。

木曾路は山だらけだが、谷間《たにあい》もある。谷には林道が通っている。少し広い場所には、伐《き》り出した木材が山のように積んでいる。

わたしの乗った車が、その辺を通りかかったときだった。ひとりの子供を負った女が、ついと自動車の横を歩いて木材置場のほうに歩いていた。そこには、この辺の人夫が寝起きしているとみえる木造小屋がいくつも建っていた。軒にはおむつなどが干してあった。

わたしは自分の眼を疑った。たしかにいま行った女は良子だった。見間違いするはずはない。現に彼女は少し歩いた所で別な女と立話をはじめている。

「ちょっと待ってくれ」

と、わたしは運転手に云《い》った。

「どうなさったんです?」

横の団体役員が不思議そうな顔をした。

「いや、景色がいいんでね」

わたしはそう誤魔化しながら、話をしている良子の横顔をじっとみつめた。たしかに窶《やつ》れているが、紛れもなく彼女だった。しゃべっている口もとに特徴がある。

それよりも奇異な思いをしたのは、その背中に睡《ねむ》っている子だった。二つくらいになっているだろうか。それはねんねこ半纏《ばんてん》にくるまっているので顔までは見えない。そういえば、そのねんねこ半纏といい、その下から出ている男物のズボンといい、粗末なものだった。

「あの婦人は、ここで働いている人の奥さんかね?」

と、わたしは声の震えを抑えて訊《き》いた。

「え、どれ、あれですか?」

と、役員はわたしの横から窓のほうをのぞいた。

「ええ、そうです」

と、うなずいて、

「営林署の現場従業員の女房たちですよ」

車の停った位置から良子の立っている所までは、ほぼ一〇〇メートルぐらい離れていた。しかし、その顔ははっきりとわたしに分る。

「こっちのほう……ほら、子供を背負っている女《ひと》ね。見たところ都会風だが、ああいうひともこっちの生れなの？」

「ああ、あの女ですか。……さすがに課長さんはお目が高いですね」

「え？」

「ご推察の通り、あの女は東京の人で、今から二年前に、こちらに夫婦で働きに来たのですよ」

「夫婦？」

「はあ。亭主のほうが頑丈な身体をしていましてね。それで山から伐り出す材木の運搬を手伝っているんです」

「…………」

「人間はいいのですがね。酒を呑《の》むとかっと逆上《のぼ》せるほうで、みんなで注意してやっているんです。それでも、近ごろは大分よくなったそうで、あの細君も苦労したでしょうね。東京から来たときは、もう子供を腹《はら》に孕んでいましたよ」

役員はそう説明して、ふと、わたしのあまりに異様な目つきに気づいてか、

「どうかなさいましたか?」

とふしぎそうに訊いた。

「いや……こういう所にはいろいろな人が来ているもんだね」

わずかにそう云って、わたしは車を出させた。

良子は遂にわたしのほうを振り向なかった。

わたしは二年間の疑問が、この一瞬で解けた。良子はアパートから出たが、あれはひとりで出て行ったのではなかった。あの刑務所帰りの亭主に遂に発見されて一しょに連れ出されたのだ。

——あのとき、わたしはアパートの人にも訊いてみた。しかし、良子が移転をするような話はしていなかった。事実、そこに移ってから買い与えた調度も、よそ行きの着物も、そのままにしてあった。晩飯も炊《た》いたままで、食べた様子はなかった。してみると、あの亭主は夕方に彼女を訪ねて来て、そのまま連れ出したものらしい。

わたしに云いようのない感慨が湧《わ》いた。だが、次の疑問はまだ解けなかった。

良子は、まだ今も記憶喪失のままでいるのだろうか。あの亭主と一しょになってから二年間、一度も過去が蘇《よみがえ》らなかったのだろうか。もし、記憶を喪失していれば、彼

女の亭主も彼女にとっては新しい男だったということになる。

するとあの背中にいる子供は一体誰の子だろうか。

あの子が生れて一年と少し経っているのだったら、亭主の子であろう。しかし、二年前にこの土地に来たとき良子は懐妊していたというから、完全にわたしの子だ。

そうだとすると、あの亭主はよくも良子を許したものだ。もともと、惚《ほ》れた女とはいいながら、よその男の子を孕んだ女房を、どうして自分の横に置いているのであろうか。

すると、あの亭主もやっぱりわたしと同じ気持を彼女に持ったのではないかと思った。つまり、同じ新鮮さを良子に感じたことだ。もとより、前から惚れた女房だ。他人の子供は持ったが、彼女を放すことはできなかった。——

木曾の日昏《ひぐ》れは早い。蒼茫《そうぼう》と昏れかかる空の一角には宵の月がかかっていた。

わたしは、この手で良子の頸《くび》を絞めた。彼女はわたしの手の中で死の痙攣《けいれん》をみせた。一度は殺した女だった。しかし、あのとき、すでに彼女はわたしの分身を宿していたのだ。これは彼女のわたしに対する痛烈な復讐《ふくしゅう》であろうか。わたしは、一生、自分の子供のことが心の負担になる。

貧乏な生活と、酔狂な父親に苦しめられつづけてゆくであろう子供。——良子は、いつ、その記憶喪失から醒《さ》めていくのであろうか。

車は山峡《やまかい》を走った。役員が横でしきりに何か云ったが、わたしには聞えなかった。路は山峡の深い所では暗く、ひらけた所では月に照らされていた。車は、たどたどしくそこを進んだ。——

影

1

伯備線《はくび》（岡山—米子《よなご》）の途中、中国山脈の脊梁《せきりよう》に近い新見《にいみ》の町から東の方、作州津《さくしゆう》山へ向う間に勝山という町がある。

ここから北に十二キロ、山脈のすぐ山麓《さんろく》にUという温泉がある。けわしい山峡の底に沈んだ小さな村だが、すぐ横を流れる麻川が渓谷美をつくっている。秋になると紅葉を見に、岡山と鳥取と南北両方から見物客が入ってくる。

近年、この上流にダムがつくられ、人造湖が出現したので、湖水にうつる深い山影を眺めてよろこぶ人が多い。道路も以前よりはずっとよくなり、U温泉も宿屋がふえた。

しかし、何といっても便利が悪い。山陽、山陰の両本線の間にひきはなされている上、伯備線に乗りかえても、もう一つ乗換えがあるという厄介さが来る人の数を制限してしまう。紅葉期の関西の客も、よほど地理を知った人か、有名な土地に飽いた人である。

秋のシーズンの次は六月の新緑ごろだが、これはずっと見物人の数が落ちる。それ以外はほとんど宿も閑散である。殊《こと》に、冬になると、雪に道が閉ざされてバスも来なくなる。

季節外れの泊り客は、たいてい山林を見にくる遠地の材木商か、ダム関係の電力会社の社員かである。

雪が融《と》けて間もない三月の終りごろであった。山峡は梅と桃の花のさかりだった。七軒の温泉宿の一つ、山川屋に勝山から最終バスで来て入った老人の客があった。背が高く、長い髪が白かった。古びたオーバーを着ているが、かなり若いときのものらしく、チェックの柄も色も派手であった。ただ、襟《えり》や裾《すそ》のあたりが擦《す》り切れている。

女中は閑《ひま》なときだから一ばん広い部屋にこの客を通した。提げて来た鞄《かばん》もかなり使い古したもので、オーバーを脱いだ下から出た洋服も、色が褪《さ》めていた。

客は昏《く》れかけた外を眺め、霧にかすんでいる山や白く見える渓流に、

「なかなかいい所だな」

と女中に賞《ほ》めた。

その言葉は、よくここに泊りに来る関西の人ではなく、東京あたりの客のようだっ

た。物腰も上品である。むろん、材木商でもなく、電力会社の人でもない。見物には早過ぎるし、ちょっと職業の得体が知れなかった。

三段階に分けた夕食の値段を云《い》うと、客は少し具合の悪そうな顔で一ばん安いのを注文した。

女中は階下に降りて、帳場に坐《すわ》っているかみさんに客に書いてもらった宿泊名簿を見せた。かみさんは五十七、八の、色の黒い女である。

「東京の人は久しぶりじゃのう」

宿帳には「東京都杉並区善福寺××番地笠間久一郎六十五歳」とつけてある。鉛筆だが、書き馴《な》れた文字だった。ところで、その職業欄に「作家」と書いてあるのがかみさんの眼を強く惹《ひ》いた。

「小説家かいや？」

と彼女は女中の顔を見た。

「そういえば、上品なおじいさんでしたが」

女中は印象を語った。

「おかみさん、笠間という小説家がおりましたかいの？」

いくら山奥でも新聞も入れば週刊誌も来る。そのどちらの小説欄にも見かけない名前だった。

「さあ」

かみさんも首をひねった。

「旦那《だんな》に訊《き》いたら、分るかもしれませんの」

と女中が云《い》った。ここの旦那も元は小説を書いていたと聞いていたからである。

「ああ、訊いてみよう。うちらでは分らんけんのう」

かみさんは暗い帳場から起《た》って奥の納戸《なんど》に行った。

主人は養子である。それも四十五、六のときだ。かみさんの前の亭主が死んで十年経《た》ったころに、この宿の泊り客となって来た男だ。

「あんた」

と、かみさんは寝転がって古雑誌を読んでいる亭主の横に坐って宿帳を見せた。

「こんな小説家がおりましたかいの？　うちらはよく分らんが」

宇田道夫というのが亭主の名前だった。かみさんは土地の生れだが、夫は東京生れである。

「小説家だって？　どれどれ」

亭主は雑誌から眼をあげて、突きつけられた鉛筆の文字を見ていたが、忽《たちま》ち、その眼が異様に光りだした。

「珍しいな」

溜息《ためいき》まじりに思わず吐いて、まだ名前に凝視をつづけていた。

「やっぱり、この人、小説家かいな？」

「うむ、昔は流行《はや》った人だ」

「昔ちゅうても、うちらが若いときかいな？」

「おまえに云うても分らん」

笠間久一郎といえば、今から二十四、五年前は一世を風靡《ふうび》した時代もの作家だった。一時期、新聞小説三つ、月刊誌二本を併行して書いたほどの作家だった。

女房だけでなく、今の若い人は殆《ほとん》ど彼を知るまい。

「いま、このお客はどうしているかい？」

亭主ははじめて問い返した。

「さっき、お光さんが晩の食事の支度を聞いて帰ったけん、それを待ってぼんやりとしていなさるじゃろう。晩の支度も梅じゃけん、そがいに名のある小説家ではなさそうじゃの」

女房が去ってからも、宇田道夫はその宿帳を握ったままぼんやり坐っていた。

障子の外はガラス戸になっていて、向い側の英竜館の灯が眩《まぶ》しく見える。間をうすい霧が流れていた。英竜館はこのU温泉で一ばん大きいが、山川屋は一ばん侘《わび》しい。この家もほうぼうを改造しなければならないが、まだそこまでの余裕がない。

笠間久一郎が一ばん安い夕食を指定したことといい、この貧弱な旅館を見て入ったことといい、その姿を見ないでも亭主には察しがついた。

山峡の日昏れは早い。外はすっかり暗くなっている。宇田道夫は寒くなったので障子を閉めた。落着かなく坐っているのは、いま二階に入っている笠間久一郎に会いに行ったものかどうかを迷っているからだった。こちらも昔の知人に会って体裁のいい身の上ではない。

女中が入って来たので、宇田は夢から醒《さ》めたようになった。

「二階のお客さんはどうしている？」

「お食事が済んで、煙草《たばこ》を吸いながら、ぼんやりしていなさいます」

「身装《みなり》はどうだね？」

「あんまりいい支度ではありません。オーバーも、洋服も、襟のところが擦り切れています。……旦那さん、あれはほんまの小説家ですか？」

「さあ、どうかな」

宇田道夫はそれだけ聞いて横を向いた。やはり、笠間久一郎は落魄《らくはく》している。

しかし、実に長い間、聞かなかった名前だった。その後彼が生きているか死んでいるかさえも分らないでいた。ときどき思い出してはいたが、それも遠い昔を振返るような気持だった。

その当人が突然今夜、この家に飛込んだのだった。むろん、この宿のおやじが宇田道夫とは知るまい。亭主は半分白くなったイガ栗頭をじっと据えて、短い煙草を吸いつづけていた。

2

今から二十五、六年くらい前のことである。

当時、宇田道夫は東京の池袋の近くに住んでいた。現在のように殷賑《いんしん》を極めているターミナル・デパート街ではない。まだ雑木林が護国寺の辺りから駅のあたりまでとびとびに続いているころの話だ。

宇田道夫は当時、作家志望だった。大学を出て七、八年経《た》つ。同人雑誌にも属して、かなり仲間うちでは評判をとった作品も書いていたが、その同人の中から文壇に出て行く者をいつまでも寂しく見送る立場に置かれていた。

そのうちに何かのきっかけで文壇の誰かに認められるだろうと頑張っていたが、容易にそんな幸運も向いてきそうになかった。

一、二度批評家に賞《ほ》められたこともないではなかったが、それを読んで彼のもとに駆けつけてくる編集者はいなかった。彼より才能のうすいと思われる仲間が文壇の一角に出て行ったりすると、自分だけはいつまでも悪運に付きまとわれて、残されるような気がした。

彼はこれまで一度だけ文芸雑誌の「R」に原稿を載せてもらったことがある。それは彼がほかの先輩に頼みこんでやっと陽の目を見たものだが、彼が待望するほどの反響はなかった。

それでも宇田は文学志望が棄《す》てられず、汚ない下宿で、なけ無しの質草に身の皮を剝《は》ぎながらの生活をつづけた。「R」誌に載った小説をちょいと賞めてくれたのは担当編集者の江木という男で、君はなかなか器用だね、と云《い》ったことがある。

しかし、雑誌ともそれきりの縁だった。

今にふいに幸運が来そうで、彼はそれをひたすら待った。文壇に出るか出られないかは運一つである。しかし、その底には、やはり自分の才能をがむしゃらに信じなければならない。

そんなある日だった。思いがけなく「R」誌の江木が宇田の下宿にひょっこり訪ねてきた。いつぞや、雑誌に小説をのせてもらってから一年ぶりだった。宇田は夢のような気持で編集者の来訪を迎えた。先方が用件を云い出さない前に、彼はもう眼を輝かせていた。前に渡した原稿はこちらから持ちこんで頼んだのだが、今度は向うから依頼に来たのだと早合点《はやがてん》した。

それに、江木も前回の横柄《おうへい》さとは打って変って腰が低かった。

「宇田さん、実は、今日、ちょっとお願いに上ったんですがね」

江木は愛想笑いを泛《うか》べて云った。

「どういうことでしょうか？」

宇田は胸をときめかした。自分の小説が誰か文壇の有力者に認められたため、編集者が何か書かせに来たのかと思った。それ以外には考えられない。江木とはあれきり遇《あ》ってもいないし、電話で話したこともないのだ。

「実は、ぼく、前にあなたの原稿を頂戴《ちょうだい》したころとはちょっと部署が変りましてね」

そう云って江木は改めて名刺を出した。肩書を見ると、同じ出版社だが、通俗雑誌の編集部になっている。

宇田は貰《もら》った名刺を指に挟《はさ》んできょとんとした。

「あなたは笠間久一郎という作家をご存じでしょう?」

と江木は云った。

「ええ。直接には存じあげないが、有名な方ですから、名前はもちろん知っています」

笠間久一郎はいま人気の絶頂にある時代物の作家だった。つい四、五年前まではそれほどでもなかったが、或《あ》る江戸物の市井《しせい》小説が当ってからは俄《にわ》かに脚光を浴び、人気も上昇し、今では各社の引っぱり凧《だこ》になっている。現に新聞連載一本と、三つの通俗雑誌に書きつづけている。

「実は、笠間さんがあなたの小説をいつか読みましてね、大へん賞めておられましたよ」

「ほう、そうですか」

「いや、そう云うとちょっと変に聞えるか分りませんが、笠間さんはあれで、昔はA氏やK氏やS氏などと……」

編集者は、今はときめく文壇の錚々《そうそう》たる人たちの名前をあげ、

「同じグループにいて、相当なところまできた新進作家だったんです。ですから、普通の通俗作家よりも文学に対する眼は鋭いわけです。今でこそ通俗文学のほうの一方

の雄になっていますが、その点はやはり敬服していいと思いますよ」

「なるほど」

と云ったが、宇田はあまりうれしくなかった。これが正統な文学者に称讃《しょうさん》されたというのだったら手放しに喜べるが、いかに流行《はやり》っ子といっても通俗作家笠間久一郎の称讃では有難味がうすかった。

編集者の江木は素早く宇田の顔色を読んで、

「あなたは文学に執着を持っていらっしゃるようですが、それもなかなか結構ですよ。しかしね、失礼だが、いまあなたのクラスでは文壇的に認められるまで大へんですよ。それは、ぼくらのような編集者だと文壇の裏から裏まで知っていますからね、よく分るんです」

そんなことは江木から聞かされるまでもなく宇田も心得ているつもりだった。

「一口に苦節十年と云うが」

と江木はつづけた。

「十年という長い歳月を持ちこたえるだけでも大へんでしょう。ほとんどの文学青年が脱落してゆくのは、たいてい生活で参ってしまうんです。ぼくの知っている範囲でも、才能のある人が文学では食えなくなり、洋服屋の外交になったり、普通の会社に入ったりして、遂《つい》に文学から離れてゆくのが多いです。ほかの仕事をやりながら文学を勉強するといっても、もう、そうなると、平凡な生活に馴《な》れて勉強も鈍くなりますからね。あたら才能の持主が、そんな具合で貧乏のために消えてゆくのが殆《ほとん》どです」

そんなことも宇田は自分の周囲に実例を見聞している。

一体、この男は何を云いに来たのだろう？

「ねえ、宇田さん。あなたがその志す文学のほうで芽が出るまで、ひとつ生活のほうを楽にする方法を考えてみませんか？」

と江木は煙草《たばこ》を一本吸いつけた。

3

宇田道夫は江木の言葉の意味がすぐには分らなかった。が、忽《たちま》ち、江木の現在の所属が通俗雑誌の編集部だと気がつくと、大体の意味は呑《の》みこめた。

笠間が宇田の作品をほめていたと前置きしたことなど魂胆が見え透いている。

今まで喜びに昂《たか》ぶっていた宇田の胸も急に失望すると同時に多少の憤激に変ってきた。しかし、相手がまだ具体的に云《い》い出さない先に怒るわけにはいかなかった。

「そうですな。それは、ぼくだってご覧の通り貧乏しているので、金があったほうが助かりますよ。けど、そのために堕落はしたくないですな」

暗に、通俗小説など書けるかと対手《あいて》の出鼻をくじいたつもりだったが、江木は平気な顔で、

「ご尤《もつと》もです。しかしですね、宇田さん、あなたがいま野心作をコツコツと書いていても、失礼だが、それはいつ陽の目を見るか分らないでしょう。ぼくは、貧乏生活のために才能をすり減らした有望な新進作家をよく知っていますよ。すでに、文壇に名前を登録された人ですらそうですから、あなたのような立場の人は、なおさら容易ではないと思いますがね」

「というと、あなたは、ぼくにどういう用事でいらしたんですか?」

宇田は少しむっとした。

「まあ、そう憤《いきどお》らないで下さい。実はね、あなたが文壇に出てゆくまで、その生活を支える方法をお勧めにきたのです」

「というと、あなたのほうの雑誌に通俗小説を書けというんですか?」

「そうです。ぼくはあんたを見こんできたのですが」

「断わります。そんな雑誌にぼくの名前が出たら最後、もう文学はできなくなりますからね」

彼は憤然として云った。

「いや、宇田さん」

と江木は宥《なだ》めるようにニッコリ笑った。

「あなたの気持はよく分りますよ。しかしですな、何も、ウチの雑誌にあなたの名前を出してくれとは云いません。原稿さえ書いていただければそれでいいんです」

「へえ、ぼくの名前は出ないんですか」

「要するに、宇田道夫という名前が活字に出なければいいわけでしょう? それだったら、あなたが志望の文学にすすむのにちっとも邪魔にならないと思います。……通俗雑誌で名前がよごれたため純文学に進めなくなった。こういう恐れは確かにあり得ます。しかし、他人の名前にすればちっともそんなことにはさし支えないじゃありませんか。しかも、原稿料は、駆け出しの新人以上にお払いしますよ。ご承知のように『R』誌の原稿料は大家でもずっと安いですからね」

「ぼくに変名で書けとおっしゃるわけですね。それも困ります。いくらペンネームで書いても、そこは狭い世界ですからすぐに分ると思います。本名で書いたと結果的には同じですよ」

「ご尤もです。それもあなたの云う通りです。ですがね、ぼくは、何もあなたにペンネームや変名で書いてくれとは云いません」

「というと……」

ここまできて、いくら迂闊《うかつ》な宇田もやっと気がついた。笠間久一郎が彼の作品をほめていたことだ。宇田が思わず何か云いかけると、江木は先にそれと察して、手をあげて抑えるような恰好《かっこう》をした。

「そうです。あなたが察した通りです。ざっくばらんに云うと、あんたに笠間さんの代作をお願いしたいんですよ」

江木は、顔色を変えて睨《にら》んでいる宇田の前でその事情というのを話した。

「笠間さんは、ちょうど、ウチの連載の締切間際に発熱しましてね。来月号が明後日《あさって》の締切です。今の状態では熱が三十九度ぐらい出ていて、とても間に合いそうにないんです。といっていま人気絶頂の作家の連載を休むわけにはいかないし、ほんとにぼくらも困っているんです。まあ、御本人もずいぶん心配されるので、編集長やぼくらも病床の枕《まくら》もとに集まり、いろいろ協議をした結果、この際やむを得ないから、どなたかに代作を頼んで間をつないでいただこうということになったんです。それで、いろいろ考えたところ、どうも適当な方がいない。そのとき、ふいと笠間さんが、一年前に『R』誌にいい小説をのせた宇田道夫という人はどうだね、と云い出したんです」

「…………」

「ぼくは忙しい笠間さんがそんな作品までよく読んでいたものだと感心したんですが、あなたを認めていることにも二重に感服したんです。編集長は何も分らないから、宇田さんの小説は拝見していないが、笠間さんの書かれているものと質的に違うようだから代作はどうでしょうか、と云い出したんです。すると笠間さんは、いや、宇田という人なら大丈夫だろう、ひとつやって貰《もら》ってごらん、と云われました。……ねえ、宇田さん。これは笠間先生からも特にぼくが頼まれたのですが、一回だけ代作をしてもらえませんか」

「…………」

「その代り原稿料のほうはうんとはずみますよ。なにしろ、ピンチヒッターとしてお願いするんですから、十分にわが社もあんたには恩に被《き》るわけです」

宇田がふたたびものを云いかけると、江木はまたそれを抑えた。

「まあ、こういうことは、お互い、絶対秘密にしましょう。分ってしまうと、笠間さんも迷惑ですからね。その代りですな、交換条件としては……と云うのもおかしいですが、ぼくもあんたが引受けて下さった以上、出来るだけあなたの進出にも御便宜を図りますよ。編集長もそのつもりでいます。あんたが前に発表した作品もなかなか好評だったし、この次も何か書かれたら、ぜひ、それを文芸雑誌の『R』誌のほうに頂《ちよう》戴《だい》するようにします。ぼくも『R』にいたことだし、あそこの編集長も懇意ですからな。何でしたら両方の編集長同士で話し合ってもらうつもりです」

宇田道夫の気持が、江木のこの最後の言葉で完全に乱れてしまった。

勿論《もちろん》、多額な原稿料も魅力が無いことはない。しかし、笠間の代作を引受ければ、次には年来熱望している自分の力作を「R」誌に載せてくれるというのだ。

噂《うわさ》では、文芸雑誌「R」の編集者は威張っていて、中堅作家の作品でも容易には載せないということだった。こんな話が伝えられている。今は押しも押されもせぬ或《あ》る中堅作家が無名時代にこの出版社の前を通りがかって、おれも一度はあの社の玄関をフリーパスで通り、「R」の編集長と対等で話をしてみたい、としばらくたたずんで玄関を見ていたものだという。それくらいだから、これは宇田にとって願ってもない話といえた。むしろ、その交換条件のほうが有難くて、笠間の代筆原稿料など要らないくらいだった。

「よく分りました」

と宇田はいままでの憤激を、忽ち感謝に代えて答えた。

「しかし、ぼくには不安があります。それは、笠間さんの書かれるのは、ああいう江戸時代の市井《しせい》物でしょう。それに、笠間さんといえば、時代考証の行届いていることでは有名な方です。それに、あの文章の独特の粘っこさ、会話の軽妙さ。それは定評がありますね。ぼくなんかにあんな芸は出来ないと思いますが」

「いやそれは心配ありませんよ」

と江木はこともなげに云った。

「それは編集部のほうで全力を挙げて、あなたの書きやすいようにバックアップします。文章も出来るだけ笠間さんに似せて下さい。……しかし、ここではあなたの個性を絶対に出さないほうがいいです。あなたの文学志望のためにもね……」

4

宇田道夫は、笠間の代作を引受けてから、これまでの筋を大体江木の口から聞き、それをメモに取って次への構想を考えた。

ところが、どうも笠間の書いて来たこれまでの筋が面白くない。宇田は、彼なりの工夫でそれを少し変えたら変化がありそうに思えた。但《ただ》し、自分の役目は一回のつなぎだから、笠間に全体の構想が決っていれば自分の勝手であとが崩れては困るだろうと思った。そこで、宇田は電話で出版社の江木を呼び出し、手短かに自分の考えを云《い》って、あとの発展の具合を確かめてみた。

「そりゃ面白いですな」

と、江木は一も二もなく彼の考えた構想に賛成した。

「どうぞそれでやって下さい。……いいえ、あとのことは、その線で笠間さんがまとめるでしょう。そりゃ面白い。なかなか期待が出来そうですな」

宇田はその返事に安心して今度はその晩から一気に書きはじめた。

もちろん、笠間の代作だから、当然、笠間の文章の癖を真似《まね》しなければならない。宇田は笠間の著書を二冊ばかり買って来て、それを原稿用紙の横にひろげ、代作用のテキストにした。

それで初めて分ったのだが、笠間の文章の癖はいくつかのタイプに別れていた。しかし、全体からいって、それは一つの定型の中にあるようなもので、その中で枝葉が交叉《こうさ》し合い、繰返されているだけだった。一見複雑そうに見えるが、この秘密を看破してしまうと、案外、簡単に似たような文章ができそうだった。語彙《ごい》もいくつかの単純なものに決っていて、その頻度《ひんど》数に従って書けば、自然と笠間の文章になる。

宇田は、自分の志望している文学とは違って、気楽に一日と一晩で三十枚を書き飛ばせた。とにかく、思わぬ原稿料が手に入るのは現実的に有難かった。

急場を救ってやったという恩をこれで編集者の江木に売ったのだ。いや、江木だけではない。その編集部のある出版社自体に貸《かし》をつくったといえる。江木がはっきりと云ったように、これでいよいよ文芸雑誌の檜舞台《ひのき》である「R」に登場出来ると思った。

宇田は代作の原稿用紙を懐《ふところ》ろにねじこみ、勇躍して出版社に行った。

受付に用件を云うと、宇田は待合室に通された。かなりだだっ広い部屋だったが、部屋の隅にソファや椅子《いす》がならべられ、何人かの先客が待っていた。曾《かつ》ては自分も、「R」の編集者であったころの江木に会うためそこで長いこと待たされたものだった。

先客たちは、あとから入って来た宇田をじろりと見た。彼らは、大体、持込みの原稿をポケットに入れているか、前に編集者に渡した原稿の首尾如何《いかん》を待っているような連中かだった。向うの隅では、若い編集者が年配の執筆家に原稿の悪い箇所を指で叩《たた》いて指摘していた。

そこへ江木が大股《おおまた》で入口から入ってきた。

「やあ、待たせました」

と彼は宇田の前に腰を下ろした。前から待っている連中の眼が俄《にわ》かに羨《うらや》ましそうに光ったのを知ると、宇田はあたかも自分が一人前の作家になったような気になり、いくらか得意であった。

「出来たそうですな。原稿を早速拝見しましょう」

江木は宇田が出した三十枚の原稿をその場で読みはじめたが、宇田は自信がなく、ひやひやしながら江木の眼つきを眺めていた。

江木は一枚一枚を猛烈な速さで読んでゆく。それは全く呼吸もつげないような有様だった。

「いや、おどろきました」

と、最後の原稿を読み終った江木が顔をあげた。その眼は上気したように輝いていた。

「いや、どうも、大へんよく出来ていますよ」

「え、それでいいんですか？」

「大へんに結構です。いや、ぼくもまさかこれほどとは思っていませんでしたよ。なにしろ……」

と云いかけて、江木もほかの先客がこちらを見つめているのに気がつき、

「ここではなんですから、ちょっと向うに行きましょう」

と伴《つ》れ出したのは社の前の喫茶店だった。そこでコーヒーをとり、江木が話をつづ

けた。

「大へん感心しました。早速、編集長に見せますが、なに、ぼくが感心したんですから、編集長だって同じことだと思います。一応、笠間さんには見せますがね。しかし、なにしろ、締切が切迫しているので、すぐにこのまま工場に入れます。どうも、宇田さん、ほんとに御無理なことをお願いしてすみませんでした。実際、助かりましたよ」

と、江木は心から感謝した顔になっていた。

——今にして思えば、それが宇田と笠間久一郎との因縁の始まりであった。

その後二十日ばかり経《た》って江木が宇田の下宿にやって来て、原稿料の袋を置いた。中を見て宇田はびっくりした。こんなに原稿料をくれるとは思わなかったのだ。それだけでも彼の生活を三カ月たっぷりと支えて、まだ小遣いが出そうだった。

江木は、あの原稿は笠間さんが大へんに喜んだと伝え、よく自分の癖を取ってくれた、ここまでやってくれるからには自分のものを真剣に勉強してくれたに違いない、宇田君はこういう方面で名を成す素質がある、と激賞した次第を話した。

編集長もひどく喜んだという。そこまで聞くと宇田もうれしくなり、得意になった。宇田のその気持を読み取ったように江木はまた新しい提案を出した。

「笠間さんの病気が、どうも捗々《はかばか》しくないんです。どうやら、胸部疾患が再発したらしいですな。若いときもそんな病気があって喀血《かっけつ》したくらいだそうですから、当人も今度は臆病《おくびょう》になっています。それでね、宇田さん、大へん申訳ないが、あなたの書いたあの調子であと三回ばかりつづけてくれませんか。いや、構成の一切はあなたに任せます。笠間さんにも腹案があったのだが、あんたの考えた案を大へんに面白いと云ってましてね。なんだったら、最後のほうを変えてもいいから、思う存分やってほしいということでした。どうでしょう、ひとつ引受けてくれませんか」

宇田には、受取った原稿料の重味が何よりも誘惑的だった。

下宿代の払いも滞っている。酒も長い間呑《の》んでいない。買いたい物も辛抱して歯を食いしばっている。肝心の原稿用紙を買う金にもこと欠いている。こういう生活が長かった。

「そうですな」

と、彼は一応熟考するようなふうをして、

「あなたや編集長がそれほどまでに云って下さるのでしたら、もう一回くらい引受けてもいいですよ」

と答えてしまった。ただ、ここでは用心深く笠間の推輓《すいばん》ということは意識しないで、あくまでも江木や編集長のほうに恩を売っておいた。云うまでもなく「R」誌に書かせてもらいたいからだ。

「そうですか。そりゃ有難いな」

と、江木は手を叩いて云った。

「編集長もどんなに喜ぶか分りませんよ……。いや、実を云うとね」

と、彼は急に声をひそめた。

「笠間さんにもあの小説の最後までの構成はあったのですよ。ところが、なんというか、笠間さんも疲れているせいで、ここんところちょっとダレ気味だったんです。そこにあんたの代作があんたなりに筋を変えてくれたため、急にテンポが速くなり、しかも場面が生き生きとしてきたんです。編集部としては、最後まであんたに原稿をお願いしたほうが恩に被《き》るんですがな」

と眄眼《ながしめ》に宇田を見た。

5

宇田道夫は笠間の代作を引受けてから、さらに笠間の小説の分析研究にとりかかった。

それは、彼なりの考えで、できるだけ自分の個性から離れたものを書きたかったからだ。宇田道夫という作家自体の個性をしっかりと把握《はあく》しておく一方、代作はあくまでも他人の偽装とする。ただ、警戒しなければならないのは、他人の代作の中に、自己の個性が少しでも混ってはならぬことだった。つまり、この両者は完全に別々なもので、それぞれが独立しているのだ。

のみならず、異質なものを書くことによって、かえって本来の文学性がいよいよ純化し、前進できる。そういう勉強方法だってあっていいのだ。——宇田はそう信じた。

江木が笠間の小説のほとんどを集めて持ってきたので、宇田は改めて初めから読み、さまざまに分析してみた。笠間久一郎の小説について若《も》し評論を書くなら、いかなる批評家も宇田の精密さには及ばないと思われるくらいになった。

笠間の初期のものには、その個性が鮮やかに出ていて感心するところもあったが、最近はほとんどその素質が摩滅され、大きく衰退を来たしている。あまりに多忙なためかもしれない。ただ、現在はそれを笠間特有の文章技術でつないでいるに過ぎなかった。

宇田は笠間の連載途中から引受けたのだが、熟考の揚句、あとの部分をみんな自分の工夫で変えてしまった。そうしてくれて構わないと、編集部の江木は云《い》うのだ。

次に、彼は笠間久一郎の文章癖を分類してみた。独特な云い回し、語彙《ごい》の頻度数、会話の語尾の変化……。こういったものを書きこんだノートが一冊出来上った。宇田はその表紙に「笠間久一郎事典」と戯書した。

代作の雑誌連載が終った直後だったが、宇田は江木からこんなことを聞いた。

「君があとの部分を変えたために、ひどく評判がいいんだ。それで、笠間さんも君に一度会いたいと云っている」

宇田は笠間に会っても仕方がないと思った。それよりも、代作の仕事が終ったので、すぐに自分本来の作品に取りかかりたかった。彼は江木が来たのが丁度いい機会なので、すぐに彼に向ってこれから書く小説の腹案を話して聞かせた。

江木は、ふんふん云って聞いていたが、あまり気乗りのしないふうである。笠間の代作の腹案を話しているときとは、まるで違った表情だった。

宇田がともかく全部を語り終ると、

「それも面白いがね」

と江木は脇見《わきみ》をしているような表情でぼんやり答えた。

「ねえ、面白いでしょう? ぼくはこれを一生懸命に書き上げるから、約束どおり『R』誌に載せてもらえるだろうね?」

宇田は勢いこんで江木の顔を見つめた。

「うん、そりゃ、約束だからな。われわれとしても責任がある。『R』誌の編集長にぼくがそう云って置くよ。しかしね、モノができ上ってみなければ、こればかりは分らないからね。それに、ぼくが結構だと思っても、編集長の意見はまた別かもしれないからね」

と江木はぽつんと云った。

宇田はその冷たい返事に失望した。江木としては、宇田の文芸的作品など欲しくないのだ。それよりも、笠間の代作のほうが大事だったのである。その証拠に、次に江木がこんなことを云い出した。

「ね、宇田君、笠間さんがあれほど君に会いたがっているのだから、この次、ぼくと一しょに笠間さんの家に行ってくれよ。ぼくは頼まれているので、とにかく、笠間さんの義理をすませたいんだよ」

とそっちのほうに熱心になった。

——宇田が江木に伴《つ》れられて笠間に会いに行ったのは、芝の魚籃坂《ぎょらんざか》の彼の自宅だった。最近、手に入れたとかで、閑静な一画にある和洋折衷の住宅だった。

応接間は笠間の書いている作品の世界とはまるで違った近代的な洒落《しやれ》た建築だった。

壁には外国作家の洋画が掲げられてあるし、調度もモダンだった。その中で、僅《わず》かに笠間らしい感じの装飾といえば、写楽の版画が一枚、額になって下っていることだった。

笠間久一郎は写真よりはやや老《ふ》けて見えた。しかし、派手な模様のセーターに粋《いき》なズボン姿は、これが時代ものを書いている作家かと思われるくらいかけはなれたモダンぶりだった。

笠間久一郎は、早速、宇田の書いた代作を賞《ほ》めた。

「いや、自分ながらおどろきましたよ」

と彼は笑った。

「あれで、君の原稿を見ていないで活字だけを読んでいたら、まるで、ぼくが書いたような錯覚が起きそうだったな」

「いや、全く」

と江木が横合から合槌《あいづち》をうった。

「あれほど先生の癖をすっかり呑《の》み込んでしまった宇田君の才能と努力は大へんなものだと思いますよ」

「うむ、大へんなものだ。ほんとにおどろいた」

笠間久一郎は宇田をさかんに賞め上げた。

宇田にとっては、くすぐったい称讃《しょうさん》だった。これが、自己の作品を賞められるのだったら、どんなに仕合せかしれない。

結局は他人のものを似せて書いたというだけではないか。その器用さだけだ。ほめられても仕方がなかった。

笠間久一郎は宇田の顔色でそれを察したらしく、急に如才なく彼の作品に触れて来た。これも、宇田自身がくすぐったくなるくらいの賞め方だった。今の新進作家のものより、はるかに立派だというのである。

だが、その話題はあまり長く続かなかった。いわば、お義理にちょっとその点に触れたという印象だった。

夕刻近くだったので、笠間は江木を誘って、折角だからこれから飯を喰いに行こうと云い出した。

「宇田君もどうです。時間があったら一しょに行きませんか?」

笠間は微笑して誘った。その言葉の調子では、江木への誘いは付け足しで、実は宇田を馳走《ちそう》してやりたい気持らしかった。代作の礼心であろう。

宇田が連れて行かれたのは、芝の増上寺裏に当るお茶屋だった。普茶料理で有名だという店で、笠間はここの常連とみえ女中たちに仲々顔が利《き》いていた。酒や料理が出た。宇田がこれまで口にしたこともないような珍しい品が次々と出された。

酒が回り、笠間と江木との間に共通の話題が一しきり弾んだあと、なんとなく押し黙っている宇田を見て、笠間は何気なさそうに云い出した。しかし、それは、あとで宇田にとって大へんに重要な提案だと分った。

「ね、宇田君。ご承知の通り、ぼくは何かと忙しいんでね。それに、少しくたびれている。健康もあんまりすぐれないし、少しばかり楽になりたいと思っているんだ」

「実際そうですよ。先生のように働いたんでは身体が保ちませんよ」

と江木が横から吠《ほ》えるようにいった。彼は大あぐらで、さっきから重ねたコップ酒に顔を真赧《まつか》にしていた。

「それでね、宇田君。もう少し、ぼくの仕事を手伝ってくれないか。いや、君だったら大丈夫だ。あれを拝見しても、立派にぼくの作品になり切っている。ね、君、礼のほうは相当に出すがね。引受けてくれないか。もちろん、この秘密は、ここに居る三人だけの話だ。外部には絶対に洩《も》らさない。そんなことをすると、君の若い芽を摘むだけではなく、ぼく自身だって困ることになるからね」

6

宇田が笠間のためにせっせと代作をはじめたのはそれからである。まず最初は、短篇二つの仕事だったが、宇田はその打合せに笠間の家をたびたび訪問した。

笠間の代作をするにしても、ストーリイは先方で考えてもらわなければならない。その筋を笠間から聞くために行くのだが、笠間はきまって、今日は出来ない、明日も駄目だ、といつも宇田に無駄足をふませた。

あまり遅くなるとこちらのほうで締切に間に合わなくなりますが、と云《い》うと、

「君、なんとかそいつも考えてくれないか。いい知恵はないかね?」

と、笠間はついに困りきった顔で相談しかけて来るのだった。

笠間は現在つづけている新聞小説に躍起となっているが、どうやら、調子があまりよくないようで、その挽回《ばんかい》に懸命になっているらしかった。そのため雑誌社と約束した短篇の筋を考える余裕がなく、弱っているのだろうと宇田は思った。

宇田は笠間に同情した。なるほど、新聞は毎日の連載だから、筋の詰っているときは苦しいに違いない。そのほか、笠間は月刊二本の連載も抱えこんでいるのだ。

「なんとか考えてみます」

宇田が仕方なしにそう云うと、笠間は心からほっとしたように、

「ほう、そうしてくれるかい。助かるよ。頼むよ、君」

と、二つとも全部彼に押しつけてしまった。

短篇は三十五枚と四十枚だった。ここでも宇田は適当な筋を考え、大体の草稿を作り、笠間に相談に行った。いくら任せられたといっても笠間久一郎の名前で発表される以上、彼の了解を得る必要があると思ったからだ。

すると、出てきた女中が、旦那《だんな》さまは目下カンヅメで湯河原のほうに行ってらっしゃいます、と云った。宿の名前も一切秘密だという。

新聞に連載しているから、社のほうに問い合せれば何とか分ると思ったが、それでは湯河原まで出かけることになりそうで、締切には絶対間に合わない。宇田はあとで文句を云われても責任は笠間にあると思い、二つとも勝手なものを書き上げた。尤《もっと》も、あとの一つはどうしてもいい案が頭に泛《うか》ばず、翻訳短篇小説から筋を取って換骨奪胎した。

四日経《た》ってこれを魚籃坂《ぎょらんざか》の笠間の家に届けると、受取った女中が、旦那さまは、あさってあたりにお帰りになります、と告げた。

宇田は、友人に出すはずの手紙をポケットの底に忘れていたので、眼についた雑貨

屋に入って郵便切手を買った。それを封筒に貼《は》りつけ、表にあるポストの中に入れようとすると、向うから笠間家のさっきの女中が急ぎ足に歩いて来るのが眼に止った。宇田は、彼女と顔を合せるのが何となくバツが悪く、ポストの陰に隠れた。女中のほうは彼には気がつかず、その前を急ぎ足に通り過ぎたが、片手に大きな厚味のある封筒を持っていた。

宇田は、それがいま届けたばかりの自分の原稿だと分ったが、女中がそれを持って行く先は、笠間のいる湯河原に違いないと思った。が、それにしては女中のみなりはちょっと妙だった。普段着のままにちびた下駄《げた》穿《ば》きである。ついそこの市場にでも買物に行くような恰好《かっこう》だった。

それから十日ばかりすぎたころ、編集者の江木が宇田の下宿に長い顔を現わした。彼はニヤニヤと笑いながら、ポケットからふくれた横封筒を出した。

「笠間さんからだ。この間のお礼だそうだよ」

宇田はそれを受取り中身を調べたが、予想よりは金額が少なかった。この前ピンチヒッターとして代作をしたときからみると、一枚当りの計算が三分の二ぐらいにしかなっていない。

宇田は、これは江木が仲介役として途中で抜いたのだと直感した。いやな気がしたが、文句は云えなかった。江木にはこれから「R」誌に載せてもらう原稿の仲介を頼まねばならない弱味がある。

「君、大分暮しが楽になっただろう」

と、江木はその辺に置いてある物を眺めていた。実際、彼のうしろには、最近発売されたばかりの新型ラジオが置いてある。机も新しい。煙草《たばこ》も三函《みはこ》ばかりその端に重なっていた。生活は明らかに急変していた。

「ぼくの書いた代作の評判はどうなんだろうね。まさかほかの人に見破られるということはないだろうね？」

宇田は心配になって江木に訊《き》いた。

「絶対見破られはしないよ。誰も笠間さんの作品だと信じ切っている。……いや、それがまたすごく評判がいいんだ。本物の笠間さんの作品より、君の代作のほうがずっと面白いと云っている」

宇田は、はじめそれが江木のお世辞かと思っていた。だが、そうでないことが、やがて何となしに彼の耳に伝わって来た。宇田は相変らず昔の同人雑誌のグループと往来しているが、その仲間には、文学を勉強しながらも通俗雑誌に眼を通している者もいた。その男が全く江木と同じことを云ったので、宇田は安心した。

「最近、笠間さんの書くものがつまらなくなっていたが、ここんとこ二本ばかり発表された短篇は相当なもんだよ。先生、あのまま忙しさに潰《つぶ》れて駄目になるかと思ったが、やっぱり立直ったんだね。大したもんだ」

友達はそんな賞《ほ》め方をしたのだ。宇田はすっかり自信をつけた。

宇田は江木とたびたび会うと同時に笠間からの代作の仕事が彼を通じて出された。

このころになると宇田も、笠間が実際にいかなる状態に置かれているか、ほぼ見当がついてきた。或《あ》る日、江木にそれを質《ただ》すと、彼は声を細めて、

「君、これは内緒だがね」

と、はじめて真相を打明けた。

「笠間さんはね、このごろ、すっかり書けなくなっているんだよ。スランプなどというもんじゃない。もう空想力がすっかり切れてしまったんだな。今まで溜《た》めていたネタを、忙しさにつれて全部吐き出したというところだ」

彼はそれを内緒話で聞かせた。

「しかし、そんなことはほかの新聞社や雑誌社の連中は知らないから、笠間さんをぐんぐん責めているんだ。当人も本当のことは云えないから苦しいところだよ。それに、君の前だが、この前の二本の短篇がやはり相変らず評判がいい。そこで笠間に雑誌社

の注文がふえるという皮肉な現象になったんだ」

大体は察していたが、まさかそれほどひどいとは宇田も分っていなかった。笠間の裏を聞いてびっくりした。

「よくそれでこれからもつづけて行かれるもんだね。どうするんだろう？」

宇田は江木にこっそり問い返した。

「だから、当人も苦しいところだよ。で、このごろは自棄《やけ》になっているのか、少し遊んで回っている。神楽坂《かぐらざか》あたりで相当豪遊しているらしい。金はあるし、遊ぶ費用にはことを欠かさないが、脇《わき》から見て羨《うらや》ましがる者もいるよ。だがね、事実を知っているおれは、ちょっと笠間が可哀想《かわいそう》になる。……ねえ、宇田君。君、あの男の代作をもう少しつづけてやってくれよ。おれも彼から頼まれているからな」

江木は笠間からも金を貰《もら》っているに違いなかった。一つは、宇田の説得役と連絡係とを引受けているようである。その江木さえ、今までは宇田に笠間のことを「笠間さん」といっていたが、それが「あの男」になり、「あいつ」となっていた。才能を枯《こ》渇《かつ》し尽した一人の流行作家の落目が、編集者のこの口吻から無意識に批判されていた。それは無残なくらいだった。

「うむ」

宇田は、結局、その情にひかされて承知した。

7

笠間久一郎は宇田に続けて代作の仕事を出した。笠間は宇田の書いた原稿を別の新しい原稿用紙に自分の筆蹟《ひっせき》で写すらしかった。宇田は、いつぞやポストのところで見た女中の原稿運びを思い出した。笠間はあのとき、湯河原にカンヅメになっていたのではなく、都内の旅館にでもいたのだろう。

しかし、いくら笠間の自筆になっても、あまりきれいな文字では、書き写しということが編集者に分りはしないか。そんな懸念《けねん》が起きたので、江木に訊《き》いてみると、江木は声をあげて笑った。

「君、そんなご心配は無用だよ。その辺は、笠間さんもちゃんと心得ている。君の書いた原稿をまともに写しはしない。ところどころを間違えたようにして、そこを訂正したり、横に書き込みなどあったりしてわざと汚ない原稿に仕立て、いかにも苦心の作という体裁を見せているよ」

なるほど、と宇田も合点《がてん》した。それでは、かなりな知能犯だ。

「ところがね、ただ一つだけ例外がある。それは君の書いたものには考証上の間違いが多いんだ。これは仕方がないね。君に、それだけの素養も下地もないんだからね。そこにいくと、笠間は年来そんな研究をつづけてきただけに詳しいものさ。だから、考証上で間違っている君の文章を彼が訂正しているよ。それだけが正真正銘の彼のものさ」

「しかし、笠間さんは、ぼくには一度もそんな文句を云《い》ったことがないよ」

「それは云わないだろう。素人《しろうと》の君に云っても仕方がないと思っているし、笠間久一郎からそれの部分を取ったら、それ以外に何も残らないじゃないか」

江木は咽喉《のど》の奥を見せて笑った。

ある晩、例の同人雑誌の例会で集まりがあったとき、前に笠間の小説のことを云った男が今度はこんなことを云った。

「笠間久一郎は少し変だね」

宇田は、その声ではっとした。

「作品の出来、不出来があんなに違うものかな。この前の二つの短篇は感心したが、その次に発表されるものがおかしいんだ。ひどく出来のいいのと、箸《はし》にも棒にもかからんひどいものとがある。その差が非常に激しいんだ」

「原稿料の安いほうには、やっつけ仕事をするんだろうよ」

と別な男が云った。

「いや、そうとは限らないよ。いい雑誌に載る作品にもひどいものがある。と思うと、突然、力作を発表したりしてね。どっちが彼の本当の姿なのか分らなくなるよ」

宇田にますます自信がついてきた。しかし、それは心からの喜びではなかった。他人の代作をして、通俗小説がうまくなったといっても、一体、何になるだろう。むしろそれは彼自身の文学性を蝕《むしば》む害毒だった。早く、こんなものから手を切らなければならないとかたく思った。

しかし、彼のその決心を鈍らせるのに二つの理由があった。一つは、笠間が江木を通じて間断なく仕事を出してくることで、つい、それに追われて断わる機会が延び延びになってしまう。もう一つは、それに関係あるのだがその仕事を拒絶すると、一文も原稿料が入ってこないことだった。

事実、宇田は笠間の代作を引受けてからは、ゆったりとした暮しになっていた。むろん、自分の取分よりは、笠間のほうがずっと多いに決っている。いわば、笠間は宇田の搾取者《さくしゅしゃ》であった。しかし、宇田はこれに抗議することができない。はじめからの取り極めなのだ。それに、宇田がいくらうまく書いても宇田の名前では原稿料はこんなにくれない。笠間久一郎の名前でこそ売れるのだ。

宇田はそのころ三十だった。それまでは金が無いばかりに欲望を抑えてきた。笠間の代作をするようになってからは料理屋の酒も呑《の》んで回ったし、女も買いに行った。今まで欲しくてたまらなかった本も、財布の中をのぞかないでも買えるようになった。下宿もましな所に移った。部屋の中は見違えるようにきれいになり、色彩も豊富になった。

たとえば、彼は、それまで高嶺《たかね》の花だと思っていた紫檀《したん》の仕事机も、八畳の間の窓際《まどぎわ》にでんと据えた。机のすぐ横に、全集ものなどがぎっしり詰った本棚も飾られた。こうした空気のなかに坐《すわ》っていると、すっかり一人前の文士になったような気がした。

しかし、笠間の代作をやりながらも、自分本来の創作に励もうとした。他人の代作は身過ぎ世過ぎの方便で、実際のおれの姿や真価はほかにあるのだ、と自分に云い聞かせ、そのほうの仕事にとりかかろうとした。

だが、元来あまり筆の速くない彼は、肝心の文学作品の原稿は少しも進まなかった。というよりも、笠間の代作に追われてそっちの勉強が出来ないのである。それに、なんと云っても代作のほうは確実に金が入る。その魅力の前には宇田も屈しないわけにはいかなかった。

それに、このころになると宇田は、笠間久一郎の文体にすっかりなり切っていて、まるで彼自身が笠間の分身のように、すらすら迷いなく書けるのだった。今はノートに書きつけた「笠間久一郎事典」を見る必要もなく、もしかすると笠間以上にその筆癖が頭の中に叩《たた》き込まれているかもしれなかった。

編集者の江木は笠間の使いでよくやって来る。それは注文係であり、督促係であり、原稿料支払いの使者でもあった。江木自身もすっかり身装《みなり》がよくなっている。

「ねえ、江木さん。今度ぜひ『R』誌のほうに口添えして下さいよ。いま百五十枚ぐらいのやつと取組んでいるんです」

江木の顔を見ると、宇田もときどきそれを請求した。あたかも、そのことで、代作に追われている自分の良心を掻《か》き立たせているようであった。

江木はそれには、例の如《ごと》くうむうむ、と鼻の先で返事をし、いい加減にあしらったあと、早速、笠間の代作の一件を注文するのだった。

「君が文学をやろうという気持はよく分るがね。しかし、まだ年齢は若いんだし、そう急《あせ》ることはないよ。それに、たとえ新進作家になっても、ああいう雑誌の原稿料はすごく安いんだぜ。君がいま代作料として笠間さんからもらってる三分の一以下だろう」

彼はそう云って、実例として、そのころ、文壇に華やかに出て来た数人の新進作家たちの単価を全部数字に書いて見せた。

「これは会計係から聞かされたので間違いはないよ。ね。それに、こういう人たちは年中雑誌に発表してるわけではない。年に四度ぐらい載れば、忙しい作家のほうなんだ。そこまで行くのにも大へんだよ。たとえば、S君なんかすでに花形作家となっていて、当人もかなり得意そうだが、収入の点においては君のほうが上だからね」

その言葉はたしかに経済的な面では真理だったが、しかし、たとえ原稿料が少なくとも文壇に出たばかりの連中がやはり羨《うらや》ましくてならなかった。その中の一人は、宇田が曾《かつ》て同人雑誌を一しょにやってきた男だった。宇田からみると、自分のほうが彼よりずっと才能があると自負しているのだ。

それを江木に云うと、

「全くだ。あいつの小説なんかちょっと目新しいだけで、実際は根底も何も無い根無し草さ。それにおそろしく不器用でね。その点になると、君なんか器用なもんだ」

そう云われると、宇田も今度こそは文芸的な傑作を書こうと、前から書きつづけている大学ノートに立向うのだが、ふしぎと筆が伸びなかった。以前はこんなはずはなかったのに、奇妙だった。そこに笠間の代作注文がどっと入ってくる。

代作のことは永いこと外に洩《も》れなかった。二年間もその秘密はつづいた。一面から見ると、三人の口の固さが完全にそれを守り切ったということになり、一面から見ると、宇田の筆が笠間のものになりきっていたということになる。

空想力を失った笠間は、逆に代作のために好評を得るようになった。それに皮肉なことに、笠間がそれまで一度は書きたいと念願し、彼なりの夢であった一流新聞からも連載小説の依頼が持込まれた。

8

笠間久一郎は、さすがに沈痛な顔をして宇田を呼んだ。そこは白山下の待合で、笠間は四、五人の芸者を侍《はべ》らせて遊んでいた。宇田が入って来ると、笠間は芸者たちを部屋の外に出して率直に一切を打明けた。

「引受けたには引受けたけれど、始まるのにあと二カ月ばかりしかない。ぼくもいろいろ筋を考えたが、どうしてもいい案が泛《うか》ばないんだ。そこで、どうしてももう一度君に助けてもらわなきゃならん。ね、宇田君。ぼくも××新聞にはぜひ書きたいんだ。だから、代作料のほうも今までよりはずっとはずむよ。なんとか早急に筋を考えてくれないか。実は一週間ぐらいあとで、新聞社の文化部の人たちと、その新しい小説について打合せすることになっている。そのとき何も手持ちが無いでは面目を失うからね」

「そんな大きな仕事だと、ぼくにはちょっと無理のように思いますが」

宇田は、笠間がこんなお茶屋で芸者たちと豪遊しているかと思うといささか癪《しゃく》にさわり、わざとそんな意地悪も云《い》ってみた。

すると、笠間はいきなりテーブルの上に両手をついて頭を下げた。

「頼む、君。そんなことを云わないで、どうかもう一回だけ助けてくれ」

今をときめく流行《はやり》っ子の笠間久一郎が、手をついて頭を擦りつけたのだ。さすがに宇田も気の毒にならないわけにはいかなかった。それに原稿料がふえるということが、またしても彼をその仕事に誘いこんだ。このころ、宇田自身も銀座の酒場に好きな女の子が出来て、そのほうへ運ぶ金が忙しかった。

「どうなるか分りませんが、とにかく、やってみましょう」

彼はきっぱりと答えた。

すると、笠間はぱっと顔をあげ、

「有難う、有難う」

と何度もお辞儀をした。

「まあ、笠間さん、そんな恰好《かっこう》をされるとぼくが困りますよ」

あまりのことに宇田も少しあわてた。

「いや、ほんとに君はぼくの恩人だ。……今度一度手伝ってくれたら、ぼくもあとはもう君に迷惑はかけないつもりだ。一生懸命にやるからね。……あ、そうだ。それに、君だっていつまでもぼくの代作でもないだろうから、今度の新聞小説が済み次第、君を一本立ちにさせるよ。ぼくの推薦なら、どこの雑誌社もみんな文句なしに君の原稿を買ってくれるに決っている。な、君。必ずぼくがその骨を折るよ」

笠間は力強くそんなことを云った。

宇田はそれを聞いて肚《はら》の中でおかしくなってきた。

(今さら何を云うのだ。笠間久一郎は完全に死物と化しているではないか。小説ならおれのほうが笠間よりずっと巧《うま》い。現に笠間自身が書いた小説よりも、おれの代作のほうが遙《はる》かに評判がいいではないか。推薦もヘチマもないもんだ。編集者だって両方較《くら》べたら、その優劣は忽《たちま》ち分るはずだ。おまえさんの推薦など何の必要があろう)

恩恵を受けているのは遙かに笠間久一郎の側にあるといってよかった。現在の笠間久一郎がとにかく作家的名声を維持出来るのも、こうして芸者たちと遊ぶ贅沢《ぜいたく》が出来るのも、みんな宇田の代作のお蔭《かげ》であった。つまり、笠間は宇田の才能の上に自己の名声と収入を繁栄させ、豪遊が出来るのである。

二カ月ののち、一流紙に笠間久一郎の連載小説がはじまった。例によって濃厚な江戸物で、その書き出しの興味深さ、展開の面白さは、忽ち読者にかなりな評判を呼んだ。

このころになるともう宇田は、自分が笠間久一郎の代作をしている意識から脱《ぬ》けていた。笠間が自分なのか自分が笠間か分らなくなっていた。彼自身がその連載小説をもっと評判よくするために懸命になった。何かの機会に小説の評判が他人の口から洩れると、おどり上がりたいくらいに嬉《うれ》しかった。しかしその次には、

「やっぱり笠間久一郎は巧いもんだな」

とか、

「こういうものを書かせると、おそらく今の文士では彼の右に出る者はないだろう。やっぱり第一人者だよ」

というような声を聞くと、今まで有頂天だった宇田の気持は、まるで深い穴に突き落されたようになるのだった。

やっぱりおれは笠間の影だった。いくら小説が賞《ほ》められても、称讃《しょうさん》されるのはおれではなく笠間久一郎だ、と思うと自分が情けなくなった。

ある日のこと、宇田は二回分の原稿をまとめると、それを懐《ふところ》にして魚籃坂《ぎょらんざか》の笠間の家へ駆けつけた。笠間は一年前にまた家を増築していて、すっかり堂々たる邸になっていた。

宇田が届けた原稿は、笠間が大急ぎで自分の字に直し、ついでに考証について間違っているところを訂正する。その訂正だけはさすがで、宇田などが追付かなかった。

笠間のそういう余技的な考証は定評があり、時折り新聞や雑誌に江戸時代の古い随筆を書く。そのころM氏という江戸時代の考証学者がいたが、笠間もそれに劣らない考証家として知られていた。

しかし、実にこのことが思いがけなく笠間と宇田自身の破滅になったのである。

9

それは新聞連載がはじまって三月《みつき》ぐらい経《た》ってからだった。回数にすると九十回ぐらいのところである。話の筋も佳境に入り、ますます面白くなってきたときである。

宇田は、例によって原稿を笠間宅に運んだのだが、いつもの約束の日よりは二日ぐらい遅れていた。彼自身も銀座の女の家に泊ったり、かなり放埒《ほうらつ》な遊びの揚句だったので、つい原稿を書くのを怠けたのである。

宇田は大急ぎで書き上げて持参したが、笠間久一郎はちょうど留守だった。

「旦那《だんな》さまは昨夜からお帰りがありません。さあ、どこだか存じませんが」

笠間も相変らず盛んに遊んでいると思った。とにかく原稿を置いて帰れば、あとは笠間の責任で新聞社に回るのだから、彼の義務は届けることだけで済んだようなものであった。

その翌《あく》る日も宇田は、遅れを取返すつもりで五回分ぐらいかためて一どきに笠間の家に届けたが、このときも笠間は玄関に出てこなかった。

女中に訊《き》くと、昨日の原稿は、先生が電話でこっちに持ってこいと云《い》うので、白山下の待合に届けたということだった。このごろの笠間は、ほとんどそこで流連《いつづけ》がつづいているらしい。想像力を枯れ尽した笠間は、翅《はね》の無い鳥と同じであった。その苦悩と絶望とを酒や女遊びに紛らわしているのかもしれなかった。

「ああなると正面から見ていられないな」

と江木も云った。

「蒼白《あおじろ》い顔をしてがぶがぶと酒を呷《あお》っているところを見ると、なんだか鬼気を感じるよ。もう笠間の作家的生命も終りだな。但《ただ》し、君がもう少し手伝ってやれば寿命が延びるのだがね」

笠間久一郎は蟬《せみ》の脱殻《ぬけがら》のようになり、頭脳の中は空洞であった。いつかは笠間も没落するときが来る。それをおれの努力で延命策を講じるほど、彼に対して恩義もなければ尊敬もない、と宇田は思った。一切は代作料という金銭取引なのだ。むしろ、おれは笠間のために不当に搾取《さくしゅ》されている。彼があんな贅沢《ぜいたく》なばか遊びが出来るのは、みんなおれが働いてやってるからではないか。全部おれにおんぶしておいてこっちに寄こす金が少ないというのは、ただ笠間久一郎という虚名を彼が自負しているからにすぎない。こんな不合理なことはなかった。宇田は、約束したこの新聞連載が終り次第、決然と笠間と手を切る決心になった。

なに、今さら笠間なんかの紹介で雑誌社に拾ってもらうことはない。これほどの実力があるのだ。どこでも自分の原稿は喜んで買ってくれると宇田は思った。

しかし、そう思う一方、自分が真実志望している文学があれ以来停滞しているのは気が気でなかった。おれの本体はその方にこそあるのだ。代作は小手先の器用でやっつけている仮面にすぎない。

早く本流に帰らねば、という焦《あせ》りが起る。新聞小説を二、三回分書いたあと、じっくりと年来構想を持ちつづけて来た野心作と取組もうとすると、どういうものか筆が動かなかった。宇田は狼狽《ろうばい》した。こんなはずではなかった。笠間の代作ばかりしているため筆が荒れたのだろうか。いやいや、おれはそうは思わない。ただ笠間の代作があまりに忙し過ぎて時間が無かっただけだ。あいつの仕事を断わったら、ゆっくりと時間が取れる。そのときこそ一気呵成《かせい》に百五十枚か二百枚を書き上げ、江木に託そうと思った。

それから二日経ってからだった。

突然、江木が泡《あわ》を喰って彼の下宿に馳《か》け込んで来た。

「おい、大変だぞ」

江木はそこに坐《すわ》りもせずに、机に向っている彼の横に突っ立っていた。

「どうしたんだい?」

理由が分らないので、宇田は江木の蒼くなった顔をぼんやりと見上げた。

「おい、君。四日前に渡した原稿があるだろう?」

四日前というと、宇田があわてて遅れた二回分を書いて届けたぶんの一つだった。

「あれに大きなミスがあったんだ」

「ミス?」

はじめは誤字のことかと思った。それなら大したことはないと思っていると、江木はそこにどすんと坐りこんだ。

「読者から投書が来たんだよ」

「投書？」

「あれに時代考証として大へん大きなミスがあったんだ。しかもいけないことには、誰が考えても非常識な誤りが出ている」

「………………」

「それで、新聞社では、どうやら笠間が代作を誰かにやらせているらしいと感づいたんだ。なにしろ、原稿はいつもさらさらと書き流されているし、おかしいと思ったんだな」

「しかし、ぼくの原稿は笠間さんが読んで文字も書き直しているはずじゃないか？」

「それが運の悪いことには、笠間の奴《やつ》、二日酔か何かですっかり寝込んでしまって、君の原稿をよく見る余裕もなく、締切時間に追われるまま新聞社にそのまま渡しちまったんだ……」

「………………」

「江戸時代の考証については定評のある笠間が、こんな常識的な間違いをやるわけはないと、読者もそこを突っ込んで来ている。それがただの思い違いとかいうような単純なことでは云い開きが出来ないことなんだ。笠間は、いま、すっかり震えあがって、家で、頭を抱え込んでいるよ」

　宇田は口が利《き》けなかった。

　彼は、考証の部分は笠間が全部責任を負って訂正してくれるものと思い、その箇所は実にいい加減に書き流したのだった。また、この訂正作業こそ笠間自身のもので、それを除いたら彼の存在は原稿の上で何もなくなるのである。そういう気持もあって、宇田は笠間のためにその訂正作業の余地をわざと与えてやっている気持であった。

　運の悪いときは仕方がないものだ。──

　第一は、彼自身が遊んだために原稿を書くのを怠けたことで、若《も》しもう少し早く書いて渡していたら、いくら笠間でもそんな油断はなかったに違いない。笠間もあわてていたのだ。

　次は、笠間もまた遊び過ぎたことだ。締切に追われて、ろくに、宇田の原稿を見もせずに新聞社に渡したことが軽率にすぎたのだ。

　だが、今更、そんなことをここで後悔してもはじまらなかった。

「弱ったことになった」

　と江木も無茶苦茶に煙草《たばこ》を吹かしながら苦い顔をしている。

「だけど、それだけのことであれが代作だと分るだろうかな?」

宇田は自分に希望を見出すような気持で江木に訊いた。

「いや、普通だったら問題ないところだがね、読者の指摘をきっかけに新聞社のほうで気がつきはじめたんだ。現に、担当者が笠間のところに行って詰問《きつもん》したらしい。笠間も、その場はのらりくらりと云い逃れしたが、新聞社のほうは実際をもう見抜いているからね……もしかすると、笠間の現在の連載小説も途中でうち切りになるかもしれないよ」

「…………」

「そうなると、この一件がジャアナリズムにぱっと、拡《ひろ》がることは必定だ。だから笠間の作家的生命は全く絶たれるわけだ。よその出版社も代作だと知ると、もう笠間なんかを相手にしなくなるからね……弱ったことになった。奴《やっこ》さんの悲喜劇だよ」

——それだからこそ、代作のほうはもういい加減に勘弁してくれと、前にもあれほどおれは云ったのだ。それを無理やりに、江木が笠間の使いになって押しつけてくるからいけなかったのだ、と宇田はひとりで思う。

江木が苦虫を嚙《か》みつぶしたような顔をして、この事態になったのも、半分はお前のせいだと云わぬばかりの態度なのも宇田には腹が立つ。

「江木さん、これを機会に、ぼくは笠間さんとの縁を切るからね。ぼく自身ほっとしたよ。これで、やっと長い間の、笠間さんの影がぼくの身体から厄落ちしたようなもんだ」

「………」

「なあ江木さん。ぼくはこれから一生懸命、文芸作品を書いていくよ。ちょうどよかった。なんとか、そっちの『R』誌への世話を頼むよ」

「うむ、それはいいがね……」

と、江木のほうは宇田のそんな言葉なんかはまるで耳に通じないふうに浮かぬ顔で煙ばかりを口から吐いていた。

「よし、ぼくはそっちのほうを一生懸命にやるぞ。なんだか、これで眼がさめたようだよ」

江木はそれを聞いても素知らぬ顔をしている。

江木としては、宇田の力み方より、笠間の急速な没落の幻想が気がかりのようだった。

10

それから二十日ばかり経《た》つと、突然、笠間の連載小説が打切りになってしまった。

まだ全体の三分の一も進んでいないころなのに、この現象は読者にも雑誌社仲間にも奇異に映った。一般の読者はもとより何のことか分らない。

宇田はやっぱり駄目だったのかと思った。笠間のことを考えると感慨無量である。しかし、彼はものを書く怕《こわ》さをはじめて知った。

もともと笠間のほうから云《い》い出したことだから自業自得《じごうじとく》とはいえ、たしかに宇田もその片棒を担《かつ》いだような罪の意識がないではなかった。

こうなると、江木に宣言したようにかねての念願である文芸作品を懸命に書こうと思った。

彼はかねて大体の構成を書きつけていたメモをひろげ、心機一番、新しい原稿用紙の最初からペンを走らせた。

今度こそおれ本来の姿にかえったと思った。江木に云った通り、笠間の影は自分の身体から厄病神のようにすっかり祓《はら》い落ちたのだ。

考えても気が清々する。原稿料の収入が途絶えて、生活的に多少苦しくなるのは仕方がない。そのつもりで笠間から貰《もら》っていた代作料はいくらか貯金をして残してある。

だが、相変らず銀座の女との関係がつづいているので、そっちのほうに運ぶ金も少なくはなかった。これはよほどしっかりしないと、またぞろ貧乏に負けて心にもないことに手を出しそうだと、自分の心に固く誓った。

さて、ペンを執ってみたが、どうも思うようにいかない。前にもこんなことがあったが、それは笠間の代作をやっているので、その忙しさと気分の入れ替えが出来ないため、そういう現象が起ったのだと思っていた。が、今度はそんないやな条件が取除かれたのだから、すらすらと書けそうだった。

——ところが、案に相違してそれがどうしても書けない。
五、六行以上書き進んだ。彼は、それを読返してみた。
全然文章になっていないのだ。彼は癇癪《かんしゃく》を起して破った。また新しく書きはじめる。以前はとにかく自分の気に入った文章が出来ていた。しかし、二、三枚書いて読返してみると、なんというつまらない文章だろう、と思った。字句に至ってはあれもこれも気に入らない。通俗的な文字が原稿用紙の上に空疎《くうそ》にならんでいるにすぎなかった。

宇田は怒ってその全部を破り棄《す》てた。畳の上にひっくり返り、髪の毛を掻《むし》った。

(おれは笠間の代作ばかりやっていたので、いつの間にかおれ自身というものが喪失してしまったのか)

こんなはずはない。あれはただ金儲《かねもう》けとしてやっただけだ。そのために、いつも自分本来の個性を大切に守ろうと心がけてきた。通俗作家の代作は代作、おれ自身の文芸魂は別ものだと、まるで禅僧のような厳しい気持でおのれ自身を戒めてきたのだ。書けぬはずはない。書けないのは、まだそれだけの感興が湧《わ》き上がっていないからだ。宇田は、無理に自分にそう云い聞かせた。それでやっと書けないことからくる絶望を救おうとした。

宇田道夫は、すっかり昏《く》れた自分の部屋の炬燵《こたつ》に当っていた。山陰の山深いところでは四月を過ぎないと炬燵の火が消せない。

女房も女中もとっくに床の中に入っていた。彼だけはまだ寝る決心もつかず炬燵の蒲団《ふとん》の上に頬杖《ほおづえ》をついている。

二階の笠間久一郎ももう寝たであろうか。何となく懐《なつ》かしい。これから二階にトコトコと上がって会ってみたい気もする。先方はおどろくに違いない。あれからもう二十五、六年経つ。早いものだ。まだ、昨日のことのようだが、一切の行きがかりも、感情も過去の夢と流れてしまっている。

笠間久一郎はいまどのような仕事をしているのだろうか。こんな山奥の温泉場に泊りに来たのは、ほかに目的も無さそうだった。宿帳の職業欄に「作家」とつけているのも、笠間が過去の夢を未《いま》だに持ちつづけているのを目《ま》のあたりに見るような思いがした。

女中の話では、服装もよくないという。料理も一ばん安いものをとった。曾《かつ》て白山下や神楽坂《かぐらざか》に遊んで、多勢の美妓を擁し、豪遊していた面影は欠片《かけら》も残っていない。

何かの外交でもしているのだろうか。年老いては、そんなことでもするよりほかに使い途《みち》はないだろう。どうせ、こんな山峡の近辺に立現われるくらいだから、ろくな会社ではなさそうだった。商売のついでに一晩ここに憩《いこ》いを求めに来たというところであろうか。

宇田にとっては笠間は加害者だった。彼の作家的生命を芽のうちに薙《な》ぎ倒した憎い男だった。

――あれから宇田は文芸作品を書こうとしたが、どうしても書けない。笠間の代作をつづけている間に、いつの間にか宇田は自分の本体を失っていたのだ。

いや、失ったといえば、もう一つの通俗作家としての彼の面も知らないうちに消失していたのだ。

宇田は金に困った。文芸作品が書けないとなると、思い切ってこの辺で転向し、時代物小説を書こうと思った。これなら永い間笠間久一郎の代作で鍛えた腕だ。しかも、笠間以上にイマジネーションが豊富で、腕には自信があった。

宇田は、文芸作品のほうは諦《あきら》めて、こっちへ転向を決意した。要するに、何を書こうと文壇に出られればいいのだ。どちらの側にしても一方の雄となれば、それで本懐ではないか。しかも、一日も早く経済的な安定を求めねばならなかった。うかうかすると、永遠の文学青年として年齢《とし》ばかり喰うことになる。その実例も宇田はいやというほど見ている。同人雑誌の会合に出ると、四十面《づら》をした「作家」と称する男が、必ず一人か二人加わっていた。

彼らは若い文学志望者を睥睨《へいげい》し、大言壮語する。いま文壇に出ている中堅や新進作家は同輩や後輩呼ばわりだった。大家を罵倒《ばとう》し、あらゆる文壇作家の作品をこき下ろし、ゴシップに通暁《つうぎよう》している。そして、自分の批評眼の高邁《こうまい》さを自慢する。

——そのくせ彼らがこれはという作品を書いたと聞いたことがない。また実作も見たことがない。

そのくせ少し小遣いにゆとりのありそうな文学青年を見つけると、何かとたかりたがり、酒をねだりたがる。

宇田道夫は、そんな文学崩れの人間になりたくなかった。何と云われてもいい。通俗小説のほうで大成したかった。

彼は短篇を五篇ほど十日ばかりかかって書き上げた。これをまず江木に見せて、彼の所属する雑誌に掲載を頼もうと思った。今度は「R」誌のような文芸雑誌ではなく、江木が編集している通俗雑誌にはぴたりなのだ。

しかし、この自信は見事に江木によってひっくり返された。

江木は待合室に宇田を長いこと待たせた揚句に横柄《おうへい》な態度で現われ、彼の書いた原稿を一瞥《いちべつ》したが、

「君がこんなものを書いてきても、君が笠間の代作をしていたことをぼくは知っているからね、ちょっと具合が悪いよ。それに、君の文章は笠間にそっくりだからね。代作問題で文壇を追放された笠間の小説と同じでは困るよ。これはどこの社だって買ってくれないよ」

前にはあれほど頭を下げて頼みこんできた男がこれだった。宇田は憤然として席を起った。

彼は次に同じような雑誌を出している別の出版社に行った。ここでも編集者が出て来て、原稿の前半を眼の前で読んでくれたが、

「どうも、これは笠間さんのにそっくりですな。ちょっと、ああいう傾向のものは、ここしばらく遠慮したいと思いますよ。しかし、なかなかお上手ですな。ずいぶん笠間さんに私淑なさっているようで……」

と、宇田の顔をのぞき込むのだった。

あと三社を回ったが、いずれも同じ結果に終った。

宇田は、いつの間にか笠間久一郎の影が完全に自分を占領し、自分の本体の喪失をどこまでも知らねばならなかった。

爾来《じらい》、宇田はあれこれと職業を変えて、何でもやってきた。そのうち年齢を食った。この地方に商用で来たついでに、この山川屋に一週間ばかり泊っているうち、遂《つい》に今の女房と一緒になるきっかけを生じた。

思えば、笠間久一郎は自分の生涯をどん底に陥《おとし》いれた男だった。しかし、考えてみれば、あいつもおれという人間がいなかったら、あれほどまでに惨《みじ》めな転落はしなかったであろう。作品の質が低下したといっても、彼の作家的余命はもっと永らえたに違いない。なまじっかおれという存在を発見したばかりに、あの男も破滅を来たした。してみると、あいつから見れば、おれのほうが加害者で、あいつが被害者かもしれない。

――早春の山深い渓谷は夜が冷える。宇田道夫は、炬燵の蒲団の上に上半身を倒していたが、ぶるんと寒そうに肩をひと震わせした。

解説

権田萬治

松本清張の小説には、しばしば、金のために年上の男の世話になりながら、満たされぬ黒い欲望のはけ口を若い男に求める成熟した女が登場する。短編『坂道の家』のキャバレーのホステス杉田りえ子、短編『危険な斜面』の妾、野関利江、同じく長編『連環』の二号の藤子などはその典型であり、生活の安定のためやむをえず愛のない結婚を選んだ『内海の輪』の西田美奈子、『強き蟻《あり》』の沢田伊佐子などの長編の女主人公はいわばその延長線上にある女性像といえよう。そしてこれらの打算的でエゴイスティックな女の対極にあるのが、若さへの敗北感に打ちひしがれ、女の裏切りに対する身を切られるような悲しみと怒りにじっと耐えている孤独な年老いた男の肖像である。金はあるが若さを失った男と若さはあるが金のない女。このような不安定な男女関係の力学からやがて一つの悲劇が生れる。

本短編集の表題作である『眼の気流』(「オール讀物」昭和三十七年三月号)もまた、そういう歪《ゆが》んだ関係から生れる犯罪を氏の得意とする倒叙的手法で描いた本格的推理小説である。

倒叙法というのはあらかじめ犯罪者が犯行を企てるに至るまでの動機や犯罪計画を描き、後半では捜査側が、犯人の完全犯罪のためのトリックを解明して行くという推理小説の一つの手法である。このような形式を踏まえた、いわゆる倒叙犯罪小説では、最初から犯人が明らかにされているので犯人当てのようなパズル的興味はない。そのかわり、犯罪者の心理や犯罪動機に光を当てることができるから、犯人をはじめ登場人物の人間像を浮き彫りにするのに適している。

余りにも現実離れした、異常で人工的な環境を舞台に、操り人形のように登場人物を動かす戦前の作りものめいた探偵小説に対して、松本清張の推理小説は平凡な日常生活に潜む恐ろしい生の断層を鋭く暴露する現実派推理小説の立場に立っている。

「私は、今までの探偵小説が、トリックとか意外性のようなものばかり重点をおいて、ほかのことは一切おざなり、描写も通りいっぺんなら、動機の点も解決篇にチョッピリ出てくるだけというやり方に、かねてから疑問を持っていました」と松本清張は『推理小説の発想』というエッセイで述べているが、これは裏を返せば、氏が推理小説において犯罪動機をきわめて重視していることを物語っている。「動機を追求するということは、すなわち性格を描くことであり、人間を描くことに通じるのではないか」（同）という氏の言葉は、氏の文学的な推理小説の特質をよく示しているといってよいだろう。

こういう松本清張の犯罪動機を重視する推理小説に倒叙犯罪小説の形式が適していることはいうまでもない。しかし、この『眼の気流』は、倒叙的手法は用いられているけれども犯人の犯罪計画が伏せられている点で、完全な意味での倒叙犯罪小説ではない。

『眼の気流』は、田舎のタクシー運転手末永が、配車係にいわれて、若い男と遊びに来た水商売風の女を迎えに行く所から始まる。車を乗りつけると、のっけから、女は「運転手さん、こんな車しかないの？」というあいさつ。運転中もぶつぶつ文句ばかりいい、揚げ句の果ては、途中下車してチップも払わずに、ハイヤーに乗り換えてしまう。

若い運転手の目を通して眺められたこのいかにも虚栄心の強いエゴイスティックな女の肖像は、自ら女性不信論者と名乗っている松本清張ならではの辛辣《しんらつ》な筆致で鮮やかに描かれていて思わず苦笑させられる。この作品以後、『強き蟻』を経て最近作『黒の回廊』に至る松本清張の女性を凝視するまなざしには、ますます厳しいものが感じられるが、この作品はそういう氏の女性不信をあらわにした比較的初期の作品として注目に価《あたい》する。

さて、運転手の末永はやがて上京、タクシーの仕事を続けているうちに、偶然この女に出会い、この女性が会社重役の小川圭造の二号で、若い燕《つばめ》を作っていることを突き止める。一種の嫉妬《しっと》と裏切られた年老いた男への同情から末永は小川のもとを訪れて、事実を報告する。だが、小川の反応は意外なことに、「君の話を聞けば、愉快でないことはたしかだ。だが、今さらことを荒立てようとは思わないね」という冷静なものだった。それから、一カ月余りたってから、ある男女が行方不明になっていることが発見される。そして……。

つまり、『眼の気流』では、最初の部分ではむしろ被害者の肖像が前面に押し出されており、犯人の姿はむしろ読者の想像力に委《ゆだ》ねられているのである。倒叙犯罪小説がまず前半の部分で犯人の立場に立って犯罪計画とその実行を描き、後半に捜査の側から完全犯罪の崩壊を描き出すのを一つの定型にしているのに対して、この作品は、前半で何よりも被害者の姿を浮び上がらせることに主力を注いでいる。マイ・シューヴァル、ペール・ヴァールー夫妻の警察小説の傑作『ロゼアンナ』も被害者の肖像を重視しており、これは犯罪の被害者に共通する社会環境や性格特性を研究する犯罪学の分野での被害者学の擡頭《たいとう》と軌を一にした傾向ともいえようが、いずれにしても『眼の気流』では倒叙的手法がきわめて特異な形で使われているのである。

やがて捜査活動が開始され、警察は犯罪日時の確定と死体の発見に全力を傾けるが、事件解決をはばむ二つのトリックがこの作品のもう一つの面白さである。

一つのトリックは犯罪日時を確定できない視覚的トリックである。被害者が着ていた服装と目撃者の証言がどうしても一致しないが、そこに一つのトリックが隠されている。興味深いのは、このトリックが、犯人が捜査陣に対して用意したものでなく偶然に成立したトリックである点である。都筑《つづき》道夫は長編評論『黄色い部屋はいかに改装されたか？』の中で、現代の本格推理小説の特徴の一つに、犯人の仕掛けるトリック以外に、偶然の要因から生じる不合理なナゾを追求する点を挙げているが、松本清張の本格推理小説のいくつかには確かにこういう特質がある。この種の視覚的トリックには古典的なものとして横溝正史の『深紅の秘密』などがあるが、『眼の気流』の場合には、従来のものと異って、それがある時点に偶然に成立する所に独創性と面白さがある。この作品の表題の『眼の気流』は思うにこのトリックを意識して付けられたものであろう。

もう一つのトリックは犯人の仕掛ける死体処理のトリックである。「死体の処置といえば、殺人者の大部分がこの悩みをもっている。ポーの『黒猫』は、死体を壁の中に塗り込める話だが、実際、これぐらい始末に負えないものはない」と、松本清張は、『推理小説の発想』の中で書いているが、事実氏のトリックの中には死体処理のトリックが圧倒的に多い。『眼の壁』『影の地帯』『鷗外《おうがい》の婢《ひ》』『書道教授』などみなそうである。もっとも『眼の気流』で用いられている死体処理のトリックはそれ自体は独創的なものではない。ただ、それが既成トリックの裏返しとしてひねった形で意外性を作り出すために巧みに利用されている点が新しいのである。

さて、本短編集には、『眼の気流』のほか『暗線』『結婚式』『たづたづし』『影』の四編が収録されている。

『暗線』(「サンデー毎日」昭和三十八年一月六日号)は、父の暗い出生の秘密を克明に調査し、同じ血を分けた人間でありながら、一方の人間がエリート・コースを歩み、一方の人間が暗い薄倖《はっこう》の人生を送らねばならなかった悲しい宿命に静かな怒りをぶつけるわびしい新聞記者の姿を描いた作品である。推理小説ではないが、氏の多くの作品がそうであるように、父の秘密を一歩一歩解明して行く主人公の分析の方法には推理小説的なものが感じられる。芥川《あくたがわ》賞を受賞した「或《あ》る『小倉日記』伝」そのものが〝典型的な推理小説〟であると述べたのは田宮虎彦《とらひこ》だが、その意味ではこの作品もあるいはそういい方が許されるかも知れない。運命の不条理に怒りを不完全燃焼させる主人公の孤独な姿は、松本清張が短編の中で好んで描く人間像であり、ある意味では、学歴偏重の現代社会に激しい憤《いきどお》りを抱いている氏自身の屈折した自画像ともいえるだろう。

これに対して、『結婚式』（「週刊朝日別冊」昭和三十五年五月号）はいわば『眼の気流』と同じ主題をまったく別の形で扱った作品ともいえよう。若い美しい女性社員を囲った中年の会社経営者が、その女性と若い青年との結婚披露宴に出向いて花嫁を刺殺しようとするまでの心理を時を刻む時計の針とからませて描いたもの。堅い真面目《まじめ》な中年男の中に潜む若さへの嫉妬と暗い絶望が乾いた文体で鮮やかに浮き彫りにされている。もう一つこの作品の面白さは、ある結婚披露宴に出席した「私」が仲人《なこうど》のあいさつを聞きながらこの事件を回想するという形式をとっている点で、いわば時の刻みが、この作品では二重の役割を果しているのである。

『たづたづし』（「小説新潮」昭和三十八年五月号）はこの短編集の中では『眼の気流』と並んで最も推理小説らしい作品であり、優れた犯罪小説の一変種である。官庁の課長になったばかりの妻子ある主人公が、ある女性と知り合い、愛し合うようになるが、独身だと思っていた女性には刑務所にいる前科者の夫がいたのだ。立身出世と体面のために、主人公は殺人を決意し、山の中で彼女を絞め殺した。しかし、殺したはずの彼女は息を吹き返し現場近くで元気に働いていた。ただ完全に過去の記憶を失ってしまっていたのだ。このことを新聞記事で知った主人公は不安に駆られてかの女に会いに行くのだが……。

こういう設定の短編は過去にいくつも例があるが、新しいのは未解決の解決ともいうべき結末である。立身出世の夢が破れた主人公の前に、心の重荷になるような意外な事実が待っていたというこの結末は、何か暗い人間の宿命といったものを感じさせる。この点でこの作品は深い部分で『暗線』とつながっているともいえるのである。

『影』（「文芸朝日」昭和三十八年一月号）は代作をやって自分の人生を台なしにしてしまった男の物語である。才能がありながら、世に容《い》れられず、自分の力を発揮できない男が代作をするという主題は、秀作『真贋《しんがん》の森』にも共通するものだが、この作品では非情な出版編集者の群像が描かれていて興味をそそられる。

これらの短編に共通しているのは孤独な中年男の暗い、やり場のない悲しみが色濃く流れている点であろう。中年男の物憂《ものう》いブルース。思うに、これがこの短編集の底を流れている松本清張の魂の叫びでもあるに違いない。

（昭和五十年十二月、作家）

この作品集は昭和三十八年十月新潮社より刊行された。

新潮文庫最新刊

瀬戸内寂聴著
老いも病も受け入れよう
92歳のとき、急に襲ってきた骨折とガン。この困難を乗り越え、ふたたび筆を執った寂聴さんが、すべての人たちに贈る人生の叡智。

新井素子著
この橋をわたって
人間が知らない猫の使命とは？　いたずらカラスがしゃべった？　裁判長は熊のぬいぐるみ？　ちょっと不思議で心温まる8つの物語。

近衛龍春著
家康の女軍師
商家の女番頭から、家康の腹心になった実在の傑物がいた！　関ヶ原から大坂の陣まで影武者・軍師として参陣した驚くべき生涯！

片岡翔著
あなたの右手は蜂蜜の香り
あの日、幼い私を守った銃弾が、子熊《あなた》からお母さんを奪った。必ずあなたを檻から助け出す、どんなことをしてでも。究極の愛の物語。

町田そのこ著
コンビニ兄弟2
―テンダネス門司港こがね村店―
地味な祖母に起きた大変化。平穏を崩す美少女の存在。親友と決別した少女の第一歩。北九州の小さなコンビニで恋物語が巻き起こる。

萩原麻里著
巫女島の殺人
―呪殺島秘録―
巫女が十八を迎える特別な年だから、この島で、また誰かが死にます――隠蔽された過去と新たな殺人予告に挑む民俗学ミステリー！

新潮文庫最新刊

末盛千枝子著
根っこと翼
―美智子さまという存在の輝き―

悲しみに寄り添う「根っこ」と希望へと飛翔する「翼」を世界中に届けた美智子さま。二十年来の親友が綴るその素顔と珠玉の思い出。

國分功一郎著
暇と退屈の倫理学
紀伊國屋じんぶん大賞受賞

暇とは何か。人間はなぜ退屈するのか。スピノザ、ハイデッガー、ニーチェら先人たちの教えを読み解きどう生きるべきかを思索する。

藤原正彦著
管見妄語 失われた美風

小学校英語は愚の骨頂。今必要なのは、読書によって培われる、惻隠の情、卑怯を憎む心、正義感、勇気、つまり日本人の美徳である。

新潮文庫編
文豪ナビ 藤沢周平

『橋ものがたり』『たそがれ清兵衛』『用心棒日月抄』『蟬しぐれ』――人情の機微を深く優しく包み込んだ藤沢作品の魅力を完全ガイド!

J・グリシャム
白石朗訳
冤罪法廷（上・下）

無実の死刑囚に残された時間はあとわずか――。実在する冤罪死刑囚救済専門の法律事務所を題材に巨匠が新境地に挑む法廷ドラマ。

横山秀夫著
ノースライト

誰にも住まれることなく放棄されたY邸。設計を担った青瀬は憑かれたようにその謎を追う。横山作品史上、最も美しいミステリ。

眼《め》の気《き》流《りゅう》

新潮文庫　ま - 1 - 36

昭和五十一年二月二十日発行
平成十五年九月三十日四十二刷改版
令和四年一月二十日五十四刷

著者　松《まつ》本《もと》清《せい》張《ちょう》

発行者　佐藤隆信
発行所　株式会社新潮社
郵便番号　一六二―八七一一
東京都新宿区矢来町七一
電話　編集部(〇三)三二六六―五四四〇
読者係(〇三)三二六六―五一一一
http://www.shinchosha.co.jp
価格はカバーに表示してあります。

乱丁・落丁本は、ご面倒ですが小社読者係宛ご送付ください。送料小社負担にてお取替えいたします。

印刷・錦明印刷株式会社　製本・錦明印刷株式会社

© Youichi Matsumoto 1963　Printed in Japan

ISBN978-4-10-110939-8 C0193